行き倒れていた
巨人族の少女
ラダリオン

ゴブリン駆除員
一ノ瀬孝人
エルフの冒険者
ミシニー・ロウガルド

「もし、あなたが五年生きられて、三千匹以上駆除できたら一億円に相当するボーナスを与えましょう。がんばって～」
「ふざけんなあああぁっ!!」
全ての元凶
セフティー

ダメ女神からゴブリンを駆除しろと命令されて異世界に転移させられたアラサーなオレ、がんばって生きていく！

タカハシあん

ぶんか社

CONTENTS

1　異世界へ

「パンパカパーン！　一之瀬孝人《いちのせたかと》さん。この度あなたはゴブリン駆除員に選ばれました～！　やったね！　ぴゅーぴゅー！」

明日も仕事だと万年床に入ったのに、なぜか目の前に女神然とした女がいて、よくわからんことを言いやがった。

「……え？　はぁ？　ゴ、ゴブリン駆除員……？」

なんだよ、いったい？　意味わかんねーよ！

「なんならゴブリンスレイヤーでも構いませんよ」

「いや、それはいろんな意味でアウトだろう」

名称もそうだが、あんな壮絶な人生になるなどゴメンである。こちとら普通の工場作業員。高校を卒業して十二年勤めたアラサーである。中型犬と戦っても秒で負けるわ。

「そうですか？　カッコイイと思ったんですけどね」

カッコイイだけで職業を選びたくない。給料が安くても安全安心な暮らしを選ぶわ。

「うんうん。普通で何より。ゴブリン駆除員にはちょうどいいわ」

「いやいや何がちょうどいいんだよ！　やらせるなら格闘技経験者か自衛隊出身者にやらせたらいいだろう！　ゴブリンがどんなもんか知らんが、一匹でも殺される自信があるわ！」

「強い人には魔王軍を相手してもらって、孝人さんのような普通の人に増えすぎちゃったゴブリンを駆除してもらいたいのですよ」

「なぜ普通にやらせるんだよ！　すぐ死ぬわ！」

「その辺は大丈夫。すぐに死なれても困るからそれなりのサポートはつけますって。身体能力もちょびっと向上させますし、ゴブリンに限り罪悪感をなくしてグロ耐性をつけてあげます」

罪悪感とグロ耐性はありがたいが、身体能力をちょびっとってのがこいつのクソさを表しているようだった。

「やらせるなら現地のヤツにやらせたらいいだろう」

「うーん。何度かやらせてみたんだけど、ゴブリンって食べられないし、有益な材料にもならないし、奴隷にもできないから避けられちゃうのよね。ゴブリンも強いヤツがいるとすぐ逃げちゃうし」

まさに害獣だな。

「そうそう。繁殖《はんしょく》力も強いし、雑食だし、群れるしで本当にやんなっちゃうわ。テキトーに創造したのになんであんなに厄介になったのかしら？」

お前が原因かい！　ならお前がなんとかしろよ！

「いやー、そう思ってゴブリンを食べる狼《おおかみ》を創造したら、今度は狼が増えちゃって、さらにさらにで生態系がメチャクチャ。異世界の知識を参考に冒険者制度を創ってみたけど、ゴブリンだけは駆逐できなかったのよね～」

下手くそか！　もうそんな世界壊してしまえよ！

「うーん。実は三回はやり直しているのよね。でも、どうにもいかないのよ。なんでかしら？」

向いてないからだよ！　一回目で気づけや！　命がもったいないよ！」

「わたしもそうかな〜って思うけど、天地創造は神としての必須課程。知的生命体が一万年生存できたら合格なのよ」

スケールがデカいのか神がアホなのかよくわからんな……。

「四回目でやっと五千年の壁を突破できたのよ。だからゴブリンごときで失敗したくないのよ。だからちょびっと反則だけど、人口の多い世界から可もなく不可もない存在を投入するの。いい考えでしょう？」

オレではなく、創作物としてならいいと思うが、やらされるほうは堪《たま》ったもんじゃないわ。

「もちろん、ゴブリンを駆除してくれるならご褒美は出します。一匹に対して孝人さんの世界のお金で五千円を報酬として与えます。そして。稼いだお金で孝人さんの世界のものを買えるようにしてあげます」

まさに駆除業だな。いや、駆除員の給料知らんけど。

「何か魔法的武器はもらえるのか？」

「魔法が使える世界ではあるけど、魔法具は発明されてないので与えられません。自ら発展しないとダメですからね」

反則するならそこをやれよ。もしくは火薬の製法を教えてやれよ。

「それ、二回目にやって失敗しちゃったのよね。まさか千年で核を作り出すなんて思わなかったわ。あれには驚いたっけ」

神って全知全能じゃないのかよ？

「孝人さんから見れば神はそう見えるでしょうね。ですが、世界はいろいろな干渉を受けています。すべてを見通すなど神でもできませんよ。孝人さんの世界も数十回と文明が滅んでますからね」

その真実をネットに拡散したい！　いや、文明が滅んでいるのは知られていることだけど！

「だから、ゴブリン駆除、よろしくね」

「だが断る」

「あ、孝人さんに断ることはできません。これは命令であり強制です。やること大決定です」

「お、横暴だ！」

「神とはそういうものです。諦《あきら》めてください」
ク、クソ！　オレはなんてちっぽけな存在なんだ！
「細かい情報やあちらの言語は頭に入れておいてあげます。あと、最初は弱いゴブリンがいるところにしてあげますね。がんばって三年くらいは生きて、たくさんゴブリンを駆除してくださいな」

は？　三年？　もしかしてオレ、使い捨て？

「大丈夫大丈夫。前の人は五年は生き抜けたから」

「さ、最低では？」

「半年かな？　まったく、五十匹も駆除できない外れでした」

ダメだ。何一つモチベーションが上がらない。

「では、一之瀬孝人さん。もし、あなたが五年生きられて、三千匹以上駆除できたら一億円に相当するボーナスを与えましょう。がんばって〜」

意識がパンと消え、オレは何もない空間で目を覚ました。

「……クッ、クソがっ！　ふざけんなぁぁぁぁっ!!」

2　サバイバル

◆◆準備金十万円◆◆

一通り叫んだら落ち着くことができた。

「ハァ～。やるしかないか」

人間、諦めが肝心であり切り替えが大事なのだ。いつまでも嘆いていたって状況はよくならない。前を向くとしよう。

「てか、ここどこよ？」

十二畳くらいの空間で、壁は白く、ドアが二つあるだけ。照明もないのに明るいとか意味わからんわ。

「ん？　タブレット」

足元に白いタブレットが落ちていた。

「あ、これ知っている」

タブレットなんて持っていなかったのに、これの使い方を知っていた。

そうか。あのダメ女神が言ってたっけ。頭に入れておくと。

そう理解したらここがセフティーホームだとわかり、二つのドアは、玄関とユニットバスに通じているのだ。

「セフティーホーム。月一万円で利用可能。三ヶ月滞納したら消える、か。閉じ籠《こも》ることも許さないってか」

サポート補償として三ヶ月はタダで、準備金十万円が支給される。

「せめて百万円は寄越《よこ》せよな。十万円で何しろってんだよ」

なるほど。半年で失敗したのもわかる。きっと三ヶ月間閉じ籠り、追い詰められてやっと外に出たらゴブリン駆除ができなくて半年の命となったんだろうよ。

先人の失敗から学ぶとすると、早々に動いたほうがいいってことだ。心底出たくはないがな！

「……罪悪感とグロ耐性の他に勇気も追加して欲しかったぜ……」

前を向くと気持ちを切り替えたが、やはり怖い。怖くて怖くて泣きそうである。漫画の主人公のようにワクワクすっぞ、とかならんわ！

自然と涙が流れる。

三十にもなって泣くとか情けなくなるぜ……。

「ティッシュもなし。タオルもなし。いろいろ買い揃《そろ》えてたら十万円なんてあっと言う間になくなるな」

ユニットバスに向かい、洗面台で顔を洗い、腕で拭《ぬぐ》った。

「ん？　スウエットじゃない？」

灰色のスウェットを着て寝たのに、今着ているのは迷彩柄のジャケットに迷彩柄のカーゴパンツ。

ポケットを探ると多機能ナイフ、ライト、ハンカチ、ボールペン、メモ帳、ソーイングセット、ライター、この地域の銀貨が数枚入った財布が入っていた。

「まあ、ないよりはマシか」

ダメ女神には感謝したくないが、丸腰で転移にしなかったことだけは礼を言っておくよ。

中央ルームに戻り、タブレットをつかんで十万円の使い道を考える。

「水が出るのは助かるな」

それに風呂はお湯も出る。台所はガスコンロもあるのでヤカンとカップラーメンで支出は抑えられるな。

「ヤカンは一リットルのもので五百円。カップラーメンは一個八十円。コンビニで買うより安くなっているな。ケースで買っても千五百円とか優遇価格か？」

そこまで頭には入ってないが、安いなら安いに越したことはない。ラッキーと納得しておこう。

「あ、箸も必要か。クソ。一人暮らしを始めたときを思い出すぜ」

五年前から一人暮らししててよかった。実家暮らしだったら挫折しているところだ。

栄養不足では力が出ないと困るからカロリーバーも買っておくか。これで三千円が消えたぜ。

「睡眠も大事だし、マットレスは買うか」

二十ミリのマットレスが四千三百円か。安いんだろうが、準備金十万円しかないと痛いな。

「これでしばらくは乗り切れるだろう。あとは、ゴブリンを駆除するための武器だな」

三十年の人生で格闘技をしたこともなければケンカをしたこともない。剣を振り回してゴブリンを駆除するとか難易度高すぎだわ。

「銃か？　銃を使うのか？」

駆除したところでレベルアップするわけでもない。一匹駆除したら五千円がもらえるだけだ。

「てか、鍛えないとダメだな」

ダメ女神がちょびっとだけ身体能力を上げたようだが、それがどのくらいかわからない。鍛えておくに越したことはないはずだ。

「まあ、それは稼いでからだな」

ゴブリンの強さがわからない。あのダメ女神の口振りからして素手で勝てる存在ではないはずだ。

「チンパンジーくらいの強さだと思っておくか」

うん。肉弾戦をしたら確実に負ける未来が見えるぜ。

「てか、銃っていくらよ？」

平和な日本で生きてきた。銃と無縁で生きてきたんだから値段なんて知るはずもないわ。

タブレットを使って調べると、なかなか高額なものだった。

「安くはなっているんだろうが、Ｍ１６が十五万円とか予算オーバーだわ」

もっと安いのはないのか？　あ、拳銃なら七万円台で買えるな。でも、七万円は無理だ。弾だって必要なんだからな。

「そうだ。中古ならどうだ？」

弱いところに飛ばされたのなら中古でも大丈夫だろう。幸い弾は一発二十円。高くても百円だ。

二十円の弾を五十発買っても千円。消費税がなくてよかったぜ。

「お、ベレッタ92Fってのが二万円で売っているじゃん」

なんか92Fの後ろに英語でなんか書かれているが、なんか意味があるのか？　まあ、とりあえずこれを買うとしよう。予備のマガジンも二つ買っておくか。二つで六百円だし。

「ガンベルトはまだいいな。その分、いいマチェットを買っておこう。山の中を歩くには必要だしな」

戦争映画でジャングルを進むときに使ってたっけ。

「五千円か。高いな～」

鞘《さや》とベルトつきで五千円は安いのだろうが、ゴブリンを斬るなら丈夫なものがいいんだから納得しろ、だ。

「腹はまだ減っていないし、疲れてもいない。今のうちに異世界に慣れておくか」

限界に向かい、念じて外に出た。

◆◆クソ！◆◆

「――寒っ!!」

外に出たらあまりの寒さにしゃがんでしまった。ど、どこに出たんだよ!?

氷点下って寒さじゃないが、暖かいセフティーホームからいきなり出たからたまったもんじゃない。心臓が弱かったら最低記録を更新しているところだわ。

「ダメだ。一旦戻ろう」

念じれば戻れる仕様に万歳三唱。

「クソ。まさか寒いところに放り出されるとは夢にも思わなかったぜ！」

一瞬のことだったが、雪は積もっておらず、何か渓谷のような場所だった。

「あんな寒いところにゴブリンなんているのか？」

ゴブリンの姿はダメ女神が頭に入れてくれたが、冬を生き残れるような姿はではない。てか、生態情報も入れやがれ！

「本当に駆除をやらせる気があるのか？　五年も生きたヤツ、マジスゲーよ」

先人の成功例も入れろよ。ついでに失敗例もな。ダメ女神は記録するってことを知らんか？　完全に放り投げじゃねーか！」

「使い捨てカイロを買うか」

貼るタイプで十個入りのを百五十円で買った。

「百五十円とは言え、出費がかさむぜ」

腰と脇の下、カーゴパンツのポケットに貼り、温かくなったら外に出た。

「……冬なのか……？」

渓谷の上を見れば針葉樹しか見えんが、空は冬のそれだった。

「ゴブリンの気配は、川上か」

不思議な感覚だが、これがゴブリンの気配だってのはわかった。

「何匹か纏《まと》まっているな」

気配に集中すると、気配の判別ができてきて四匹いることがわかった。

辺りを警戒しながら渓谷を登っていくと、キーキーと鳴く声？　が耳に届いた。

姿勢を低くして進むと、何か動くものが見えた。

……あれがゴブリンか……。

座っているので身長はわからないが、四匹とも小さい。立っても一メートルくらいしかないんじゃなかろうか？

「毛のない緑色の猿だな」

ゴブリンも数種類いて、一メートルや二メートルのもいるようだ。

「……よ、よし。やるぞ……」

怖い。マジで怖い。ゴブリンを殺すことになんら感慨はないが、銃で何かを殺すと考えると漏らしてしまいそうになるくらい怖い。だが、自分が死ぬのはもっと怖い。死にたくなかった。

やるしかない！　やるしかない！　やらないと殺される。覚悟を決めろ、オレ！

「クソ！　男は度胸だ、こん畜生が！」

ベレッタの安全装置を解除してから岩陰から飛び出し、ゴブリンに向けて弾丸を撃ち込んでやった。

「クソ！　クソ！　クソ！　クソ！」

叫びながら引き金を引く——と、ガチャリと弾が詰まってしまった。

「クソがっ！」

怒りに任せてベレッタを岩に叩《たた》きつけてしまった。

「ギー！」

その叫びに顔を上げたら、ゴブリンが一匹こちらに向かってきた。

「うっせーんだよ！」

頭に血が上り、マチェットを抜いて迎え撃った。

我を忘れてマチェットを振るい、気がついたらゴブリンの頭に刃《やいば》が食い込んでいた。

「……や、やったのか……？」

死亡フラグみたいなことを口にしてしまったが、興奮が冷めても新たなゴブリンが襲ってくることはない。気配も微《かす》かにしか感じなかった。

「殺した罪悪感も、刃が頭に食い込んでいてもグロいとも思わないいか」

それはそれで怖いものがあるな……。

「あ、ベレッタ！」

なんて思い出してもあとの祭り。二万円稼いで二万円を失ってしまったよ……。

「初戦闘でマイナスとかクソすぎるぜ」

いや、今は生き残ったことを喜ぼう。初戦闘でご臨終は笑うに笑えんのだからな。

「あ、報酬が入っている」

視界の隅に報酬の数字が浮かんでいる。どんな理屈だ？

「気にはならないが、変な気分だ。うげっ！　ゴブリンの血がついてる！」

ジャケットに血がついていて気持ち悪く……ない。ただ、血がついて嫌としか感じなかった。

「一旦帰ろう」

これ以上やる気にはなれない。それに、武器がマチェットだけでは心許《こころもと》ない。ベレッタに代わる武器を考えないと。

セフティーホームに戻り、ポケットにあるものを取り出し、ジャケットやカーゴパンツを湯船に放り込んでお湯で洗った。

「洗剤も買わんとならんのかよ！」

とりあえず血は落ちたが、染みになってしまった。

「あ、ハンガーもなかったよ」

ないない尽くしでほんと嫌になるぜ。

「しょうがない。ユニットバスを改造するか」

中央ルームからタブレットを持ってきて、ジャケットを干せる棒を作り出し、ハンガーも六つ買った。

セフティーホームは改造増設ができるようだが、それは後々。稼いでからだ。

「まあ、それがいつになるかはわからんけどな」

四匹倒してヒーヒー言ってんのに、改造増築とか夢見てんじゃねーだ。

ジャケットやカーゴパンツを絞り、ハンガーにかけた。

「空調がしっかりしてて何よりだ」

中央ルームに戻り、二千円の枕を買ってその日は寝ることにした。

◆◆生存戦略（?）◆◆

目が覚めたら筋肉痛になっていた。

「……大したことしてないのにな……」

まあ、運動なんて碌《ろく》にしてないアラサー工場作業員。そんなヤツがいきなり殺し合いをしたのだ、無駄に力んで筋肉痛になったんだろうよ。

「昨日、風呂に入っておくんだったぜ」

いや、今から風呂に入るか。これからのことをゆっくり考えるために。

二百円のバスタオルを買い、シャワーを浴びながら湯船にお湯を溜《た》めた。

「どうすっかなぁ～？」

考えるとは言ったものの、名案なんてこれっぽっちも浮かんでこない。現実逃避しないようにするので精一杯だわ。

何も考えずシャワーを浴びるが、生きていれば腹は減るもの。空腹が現実に引き戻してくれた。

「カップラーメンでも食おうっと」

湯船から出てカップラーメンを食うことにした。

一滴残らず完食したらタブレットをつかんだ。

いつもなら動画を観《み》たりゲームをしたりするのだが、このタブレットにそんな機能はない。クソったれが。

「またベレッタを買うか？」

なんとなくタブレットの画面を眺める。

格闘技経験のないオレは銃に頼るしかない。一匹ならまだしも二匹以上現れたらマチェットだけで勝てる自信はない。確実に死ねる未来しか想像できんわ。

「それ以前に体を鍛えないとダメよな〜」

ダメ女神がどれだけ身体能力を上げたかわからない。筋肉痛になるんだから一割か二割。一年鍛えたらそのくらい上昇するわ。

「理想は一匹でいるゴブリンを狩る、だな」

さらに理想を言えば一日一匹狩って、月十五万円を稼ぐ。使用料一万円。食費三万円。生活雑貨費は五千円。いや、必要なものがまだまだあるから二万円と見るべきか。

風邪や怪我《けが》をしたときのために四万円を貯金。五万円くらいで武器類を揃えていく、だな。

「しばらくは体を鍛えながら一匹のゴブリンを狩る、かな〜？」

そうすると銃より食料のほうが重要か。何事も健康な体があってこそ。弱いゴブリンがいる今がチャンスだ。

「あ、熊よけスプレーってあったよな？」

探ると一本二百円で売っていた。容量の大きいものでも三百円だった。

「一匹でいるのを探し、複数いたら熊よけスプレーで逃げる、だな」

獣が出てきたときにも使えるし、買いだな。

「気配察知も鍛えたらもっと高性能になるかな？」

これもやってみる価値はある。ただ、ゴブリンにしか使えないのだから油断するな、だな。

「雪は積もってなかったが、濡《ぬ》れた葉で滑ることもあるから膝《ひざ》当てもいるか」

いろいろ探すと脛《すね》当てもあった。

「草刈りに使うものだが、強度的には問題ないな」

ゴブリンに噛《か》まれても何度かは防いでくれるだろう。

ベレッタのときのようにケチったらダメだな。腕は一番噛みつかれやすいところ。高いものを買って万全にしておこう。

他にニット帽に手袋、五百ミリのペットボトルを入れるホルダーも買った。

「ハァー。一万円を超えたか」

まあ、命を買ったと思えば安いもの。三匹狩れば元が取れるのだから、オレよがんばれ、だ。

一度、すべてを装備して中央ルームを歩き回った。

三十分くらいで汗が出てきた。

「これ、本当に身体能力が上がってるのか？」

なんだかよくわからないが、鍛えていくのだから気にするな、だ。

水を飲んで一休み。

「カップラーメンだけじゃすぐに腹が減るな」

二十七歳辺りから食う量は減ってきたが、さすがにカップラーメンだけじゃ足りないわな。

「だが、まだ我慢できないような空腹じゃない。二時間くらいは動けるはずだ」

朝飯食わずに仕事に出るときもある。ゴブリン一匹狩ってカツ丼を食うぞ。

「やるか」

ニット帽を被《かぶ》り、手袋を嵌《は》めた。

「そう言えば、北海道出身のヤツは手袋を履くって言ってたっけな」

どうでもいいことを思い出して笑ってしまった。

「なんだオレ。余裕じゃん」

そう思えたら体の緊張が解け、気持ちが和らいだ。

もう一度装備を確認したら外に出た。

「昨日の場所か」

セフティーホームは入ったところからしか外に出られない。これは場所を選ばないと酷《ひど》い目に遭いそうだな。

「あれ？　ゴブリンの死体がなくなっている」

共食いか？

「ゴブリンの気配は……あるな」

離れすぎているのか、うっすらとしか感じない。

「まあ、体を鍛えるのが一番。生き残るのが二番。ゴブリンは三番。危険と感じたらダッシュで逃げろ、だ」

生存戦略（？）を決めて、ゴブリンの気配に向かって歩き出した。

◆◆祝杯◆◆

標高があるのか、三十分もしないで息切れを起こしてしまった。

「少し休むか」

無理してもいいことはない。逃げる体力を回復させておかないとな。

ペットボトルを取って半分くらい飲んで一息ついた。

「ゴブリンの気配は近いな」

周囲を警戒しながらゴブリンの気配を探る。なかなかどうして気を使うぜ。

ただ、探っていたお陰か、ゴブリンの気配が鮮明になってきている。サポート能力の中でもこれが一番役に立っているんじゃないか？

「あっちに四。こっちに六。そっちには八。かなり遠いところに十数以上が固まっているな」

気配と距離がわかれば察知範囲がわかってくるかもしれないぞ。

残りを飲み干し、一旦セフティーホームへ。水を補充してから一匹のところに向かった。

進むこと五分。ゴブリンの形がわかるくらいの気配を感じた。

「これ、ゴブリン相手にはチートだろう」

相手の位置がわかるとか、ゴブリンが知ったら激オコぷんぷん丸になることだろうよ。

「いや、油断するな。わかっているだけで倒せるなら苦労しない。殺せなければ宝《チート》の持ち腐れだ」

今は気配察知と体力強化だ。

「気配は……しゃがんでいるな？　また死肉漁《あさ》りか？」

慎重に、周囲を警戒しながらゴブリンの背後から近づいていく。

……穴を掘っているのか……？

木の陰から覗《のぞ》くと、何か枝を使って無我夢中で穴を掘っていた。

深呼吸をしてバクバクする心臓を静め、マチェットを握る力を強くした。

距離は十メートルくらい。間に躓《つまず》きそうなものはない。大丈夫。やれる！

木の陰から飛び出し、あとちょっとなところでゴブリンが振り返った。

「遅い！」

速度を緩めることなく通りすぎ様《ざま》にフルスイング。肉を抉《えぐ》る感触が伝わってきた。

そのまま通りすぎ、三メートルくらいで振り返った。

マチェットは顔面に当たったようで、うつ伏せになりながらピクピクと痙攣《けいれん》していた。

「止《とど》めを――」

マチェットを背中に刺す。刺して刺して刺しまくった。

やがてゴブリンの息の根が止まった。

「クソッたれが！　ゴブリンなんぼのもんじゃい！」

乱れた息で叫んでやった。

なんてやっている場合じゃない。逃げねば！

ここではセフティーホームに入れない。ゴブリンの気配がないところじゃないとダメだ。

脇腹に痛みを覚えながら一キロくらい走り、大きな岩があるところでセフティーホームに入った。

玄関に現れると、そのまま倒れてゼーゼーと息をついた。

「……へへ。一匹倒して五千円ゲットだぜ……」

命を懸けて五千円は割に合わないが、倒せたことは嬉《うれ》しかった。オレ、やるじゃん！

異世界に来てゴブリンを倒した。アラサーなオレがだぜ？　フフ。なんか狩猟魂に火がついた感じだぜ。

狩猟じゃなくて駆除だろう、なんて突っ込みは止《や》めてくれ。今はこの勝利に酔わせてくださいな。

「アハハ、やってやったぜ！」

――ぐぅ～！

緊張が解けたのか、腹の虫が鳴いてしまった。

「勝利を祝してダン◯ダンの焼肉弁当大盛りと三五缶のビールを買った。

「あーいい匂《にお》いぃぃー」

まずはビールで喉《のど》を潤し、焼肉弁当をかっ食らった。

「美味《うま》いものを食うと、また明日もがんばろうと思えるぜ」

しばし余韻に浸り、服を脱いで風呂に向かった。

今日は十分くらいで上がり、三五缶をもう一缶買って、一口飲んでからタブレットをつかんだ。

「やっぱ銃は必要だよな～」

今日は相手が一匹で、油断していたから倒せた。二匹いたら逃げていたところだ。

「まだ五万円はあるが、これは万が一のときのために残しておくべきだろう。銃は十万円くらい貯まってから買うべきだな」

銃の整備もよく知らない。まあ、煤《すす》を拭くくらいはできるだろうが、他はチンプンカンプン。どのくらい使っていいかもわからんわ。

「十万円か～」

二十四駆除すればいい計算だが、食費を考えたら三十匹は駆除しておきたい。毎日ビール飲みたいし。

「いやいや、先走るな。しばらくは気配察知と体力強化だろうが」

堅実に、油断せず、安全第一、命大事に、だろうが。

「しっかし、こうして探すと銃っていろいろあるんだな～」

一つの銃でもいろんなバリエーションがあり、年代があり、新旧があって、安いのや高いのがあった。

こちとら素人なんだからゴブリンに適したものを映し出せよな。

「やっぱ最新のか？　いや、買えねーよ」

って、一人暮らししてから独り言が多くなったな。孤独で捻《ひね》くれる前に現地の者と出会わないと。

言葉はしゃべれてもコミュ症になったら目も当てられんわ。

「ふわぁー。眠っ……」

銃のことは明日だ。しっかり眠って明日もがんばろう。

ユニットバスで歯をしっかり磨いた。

この世界に歯医者などいないんだ。大事にしていかないとな。

◆◆落とし穴◆◆

さあ、やるぞ！

と、意気込んだものの、三日もゴブリンを狩れませんでした。

「クソ！　単独で動けよ！　群れてんじゃねーよ！」

どこかで甘えていた。一日一匹はイケるんじゃね？　ってな。オレ、愚かすぎだ！

常に二匹から四匹で行動し、一匹は必ず周囲を窺《うかが》っている。これじゃ不意打ちもできないよ。

「ダメだ。このままでは詰む」

これは戦術を変える必要があるな。

「うーむ。ここは古典的な落とし穴でいくか」

この三日、ただゴブリンのケツを追いかけていたわけじゃない。ゴブリンの習性や行動も探っていたのだ。

まあ、大したことはわからんかったが、あいつらは常に集団で行動し、一日の大半を食料探しに費やしており、木の根や虫などばかり。肉なんてまったく食ってなかった。

「よし。落とし穴作戦発動だ！」

千円のスコップと七百八十円の安い脚立を思い切って買った。

土の軟らかいところを探し、手に豆ができようとがんばって穴を掘った。

二日かけて三メートルほどの穴を掘れたが、筋肉痛で動けず、三日目は寝て過ごした。

「準備金が四万円を切ってしまった」

ポジティブにならないとダメだとわかっていても、不安が募ってネガティブ沼に嵌《はま》っていく。

まだ痛む体に鞭《むち》打って枝を削り、穴の底に刺し、壁にも尖端《せんたん》を斜め下にして刺していく。

「これだけの穴なら四匹の群れでも大丈夫だろう」

こんなことしかできない自分に涙しながら枝葉で穴を塞《ふさ》ぎ、その上に一キロ五十円の処理肉をばら撒《ま》いた。

さらに一キロ買い、ゴブリンを釣るために気配の多い場所に向かった。

ゴブリンの嗅覚がどれほどのものかわからないが、これだけの肉があれば嗅《か》ぎつけられるだろう。

さあ、来い！

「――いや、釣れすぎっ！」

八匹、いや、十四以上はいるよ！　物凄《ものすご》い速さで迫ってくるよ！

「クソ！　なんでこうも上手《うま》くいかないんだよ！」

まだ筋肉痛で動いてくれない体に鞭打って走り、落とし穴の前で処理肉を投下。ゴブリンの姿が視界に入ったらセフティーホームに入った。

セフティーホームに入っていると、ゴブリンの生死はわからない。なので、五分くらい過ぎたら外に出た。

気配は四つ。どれも気配が小さくなっていた。

穴を覗くと、串刺しになったゴブリンたちが血まみれ状態。落とし穴作戦は有効だってことだな……。

「埋めるか」

生き埋めにすることになんら罪悪感がない。苦しんで死にさらせ。

えっせらほっせと土を被せていく。

「おっ。二万円が入った。計六万円もゲットだぜ！」

リアルポ〇モン世代でごめんなさい。

「四日で六万円なら一日一万五千円か。まずまずと言っていいな」

無収入の日を足しても八万五千円くらい。食費や経費を引いても七千円。まずまずの成果と言っていいだろうよ。

「場所を変えてやればもう一回はいけるな」

ゴブリンの気配はまだまだ感じるし、数十四固まった群れもいる。飢《う》えている様子だから次も失敗はしないはずだ。

今日はこれにて終了。セフティーホームに戻って祝宴《しゅくえん》だ。

◆◆ＭＰ５◆◆

落とし穴作戦Ⅱは大成功だった。

穴を広くして、計十六匹をこの世から消し去ってやったよ！

「ふふ。八万円か。五日の苦労が報われるぜ」

食費を豪華にしてしまったが、前回の報酬を足せば武器費に回せる。落とし穴作戦Ⅲをやらなくてもいいかもしれんな。

「今度はちゃんと選ばないと」

まあ、素人になんの銃がいいかなんてわからんが、よく調べてから買うとしよう。

「ん？　また来たか」

よほどこの周辺にエサがないのか、三つの群れが集まってきたのだ。

「二匹か」

さすがに十四以上だと穴から逃げるのも出てくる。二匹なら問題ないな。

穴の反対側に立ち、しゃがんで弱っている振りをする。もちろん、マチェットを握ったままな。

五分くらいしてゴブリンが現れ、オレに気づいてキーキー叫びながら走ってくる。

大丈夫。怖気《おじけ》づくほどではないと、二匹の気配に集中した。

「ギー!?」

「ギィ!?」

驚いたように叫んで落とし穴に落ちていった。

「愚か者め。人間様をナメんな!」

這《は》い上がってこようとするゴブリンにマチェットを振り下ろして殺してやる。

「ハイ、お前もご苦労さん」

二匹目も頭にマチェットを振り下ろして殺してやる。さらに一万円ゲットだぜ。

「この辺で止めておくか」

調子に乗って死んだなんてよくあること。ここは、十八匹で満足しておこう。もう近くにはいないみたいだしな。

穴は埋めず、そこから五百メートルくらい離れてからセフティーホームに入った。

「まずは風呂だな」

仕事終わりの風呂。そして、上がってからのよく冷えたビール。生きている幸せを感じるぜ。

「今日はレモンサワーも飲んじゃおう」

大丈夫。これで終わるから。ちゃんと栄養バランスが取れた食事もするから許してね。

幸せな気分で眠りにつき――たいが、まだやることはある。

脱いだ下着を湯船で洗い、よく絞って干した。

「早く洗濯機が欲しいぜ」

中央ルームに戻り、タブレットで予算内で買える銃を探した。

「……ありすぎて何がいいかわからんな……」

一つの銃でいろんなバリエーションがあり、付属品がある。年代でも差はあるし、新品中古で値段が天と地の差がある。

「拳銃よりサブマシンガンのほうがいいな」

パンパン撃つより量で撃つほうがいいだろう。

「いや、ショットガンのほうがいいか？」

散弾なら多少外れてもゴブリンくらいなら殺せると思う。弾も安いし、二、三匹なら充分だと思う。どうする？

「ん？　MP5っての、よく映画に出てきたな」

これもいろんな種類があるな〜。

二万円のから三十万円までいろいろ。とは言え、二万円は地雷だろう。十万円以上は出せないから七万円のだな。それなら安全圏に入ったヤツだろうよ。

「へー。弾も安いな。五十発入りで五百円とかあるよ」

でも、安全を考えて千円のを買っておこう。

「このMP5K‐PDWってのがいいかもな」

KとPDWがなんなのかわからんが、普通のよりは小さい。持って歩くにはちょうどよさそうだ。

「けど、八万円か～」

三十発入るマガジンは中古で五百円だし、十万円で収まる。知識もないのだから直感を信じることにしよう。

「男は度胸。お前に賭ける！」

MP5K‐PDW。マガジン五本。弾は百発買った。

◆◆おっかねー◆◆

ぐっすり眠った次の日、柔軟体操をたっぷりやってからMP5K‐PDWの扱い方を学び始める。もう二度とベレッタくんの二の舞は踏まない。君を相棒として、彼女としてお前を知っていくぜ。

一時間くらい使って構造を理解していき、次は構え方の練習。空マガジンの脱着を何度も何度も繰り返した。

「てか、マガジンを入れるポーチが必要だな」

タブレットで三十発用のマガジンポーチ？　ケース？　を探していると、これまたいろんなのがあった。

ベルト単品、三十発用マガジンが入るポーチを三つ、ペットボトルが入るポーチを買った。右側にマチェットをつければ問題なかろう。

午後からはベルトをつけて練習開始。なかなかスムーズにできなくてムズい。今日は外に出れんな。

一日練習に潰《つぶ》し、次の日、朝飯を食ったら準備をして外に出た。

「寒っ。絶対マイナス十度になっている！」

すぐに戻って使い捨てカイロで身を固めてきた。

温まるまで屈伸運動をし、温まってきたら周囲を探った。

「さすがのゴブリンも今日は出歩いてないか」

集中して探るが、遠くにうっすらと感じるていど。今日の駆除はやるだけ無駄か。

「まっ、それなら練習するまでだ」

各部名称はわからんが、構造は理解できた。工業製品を造る作業員をナメんな、だ。

横のレバーを引いて引っかけ、マガジンを挿入。レバーを戻すと弾が装填《そうてん》された。

「安全装置解除。相棒を構える。よく狙って撃つ！」

引き金を引くと耳が痛くなるほどの音がして強い反動に押された。

「……銃、コエー……」

ベレッタのときは感じる余裕もなかったが、こうして冷静になって撃つと銃の怖さがよくわかるぜ……。

「さ、さすが人を殺すために造られた武器だな」

てか、耳が痛い。撃つたびにあんな音を聞いていたら難聴になるわ。

「耳栓買うか」

また戻り、二十個入り三百円の耳栓を買った。

ニット帽をずらして耳栓を詰める。どこまで効果があるかわからんが、ないよりはマシだろう。

外に出てまた一発撃つ。

効率とか考えない。安全に撃つことを繰り返して相棒に慣れていった。

「ふー。撃つだけなのに疲れるぜ」

マガジン一本分を撃って一息つく。

「今日はこれで終わるか」

根を詰めても仕方がないし、気温が上がってくれないとゴブリンも動かない。今は確実に経験を積んでいこう。

セフティーホームに入り、また柔軟体操。しっかりと飯を食って風呂に入り、明日のためにぐっすりと眠る。

朝になったら決めたルーティンをこなし、マガジンに弾を十発ずつ入れ、ポーチに収めた。

「今日は歩くか」

相棒の扱いばかりじゃなく、体を鍛えることも忘れない。

ゴブリンの気配を探り、周囲を警戒しながら相棒を構えて進む。ってのは本当に疲れる。三十分毎《ごと》に休憩を挟みながら三キロくらい歩いたら、凍死したゴブリンを発見した。

「……死ぬならオレに殺されろよな……」

自然死したところでオレの儲《もう》けとはならない。死ぬ直前にオレの前に現れろや。

「しかし、この寒さでもエサ探しに出ないとダメなのか？　どんだけエサのないところに生息してんだよ？」

まさか地の果てとかじゃないよな？　それだと人のいるところまで相当歩くんじゃないか？　って以前にどっちに向かえば人のいるところなんだ？

「……また不安になってきた……」

いや、今は相棒の扱いとゴブリンを駆除することだけを考えろ。明日の朝飯を考えるより今日の夕飯を考えろだ。

◆◆焼肉作戦◆◆

人間は慣れる生き物とはよく言ったもので、三日も相棒を使うと躊躇《ためら》いがなくなった。いつでもかかってこいや！　と殺《や》るき満々なのにゴブリンがいません。

「そりゃ、雪が降ったもんな〜」

まあ、降ったと言っても十センチくらい。南のほうに住んでなければ驚く積雪量でもない。初期装備の靴でも問題なく歩けたよ。

とは言え、寒いものは寒い。使い捨てカイロ八枚も貼っているのに寒すぎるぜ。

「……また凍死したゴブリンか……」

見つけるのは凍死したゴブリンばかりなり。自然に負けるならオレを呼ぶ必要なくね？

「まあ、暖かくなれば竹の子のように増えるんだろうな」

ダメ女神が異世界から拉致してくるんだ、繁殖力はハンパないんだろうよ。

「このままではオレが先に死ぬ」

三日も無収入とか命の危機だ。春までこれなら確実に死ぬわ。

なんて心配も次の日まで。外に出たら太陽がピーカンだった。

九時にはすっかり解けてくれたが、地面はグチャグチャになって歩き難い。靴下まで濡れてきたぜ。

「靴下で破産しそうだ」

まだ半月なのに靴下が十五組もあり、毎日三回は履き替えているよ。

「靴も状況に合わせて買わなくちゃいかんな」

泥だらけになっては洗い、また汚れては洗う。こんなことしてたら靴の寿命も短いだろうよ。

「ん？　ゴブリンの気配だ」

グチョグチョが気になって気づかなかったが、一休みのために止まったらゴブリンの気配に気がついた。

「……バラけているな……」

エサがなさすぎて集団行動もできなくなったか？

こちらとしては大助かりなんだが、バラけすぎて追うのが大変だ。これでは二匹駆除するだけで一日が終わるぞ。

「……エサで釣るか」

どうもゴブリンの嗅覚は敏感っぽい。なら、肉を焼いたら凄いことになるんじゃないか？　やる価値はあると、木……は湿気っててダメか。

倒れている細い木をマチェットで切り落とし、纏めてセフティーホームに運んだ。

一晩置けば乾燥するはず。作戦は明日。天気がよかったら決行だ。あ、てるてる坊主でも作ろうっと。

そんな純真な願いが天に通じたのか、雲一つない空で太陽が輝いてくれてたよ。

「今日は殺れる気がする！」

乾燥した木の束を運び出し、弁当の空容器に火をつけた。

ダイオキシン？　環境破壊？　そんなもの知りません。オレの命に比べたら些細《ささい》なことなんです。

あ、ちなみにだけど、タブレットで買ったものは十五日触らないと消滅してしまいます。

クソ！　元の世界の道具を売って転売。とかボロ儲けができねーじゃねーか！

いい感じに燃えてきたら処理肉を火の中に放り込む。さあ、ゴブリンども。最後のメシぞ！

少し離れて待っていると、近くにいたゴブリンが四匹、こちらに向かって動き出した。

目立たない位置に移動し、待つことしばし。ガリガリになったゴブリンが一匹ご到着。焼けた処理肉を出そうと必死になっていた。

その背後に向かって走り、がら空きの背中にマチェットを振り下ろした。

え？　相棒は？　とか言わないで欲しい。せっかく集まってきているのに銃声で逃げたら困るじゃない。

餓死寸前だからか、一振りで絶命。腕をつかんで火から離し、落ち葉や土をかけて次の獲物を待った。

単独で動いているお陰で各個撃破ができる。集まってくるゴブリンを一撃で倒せたよ。

「二万円ゲットだぜ！」

喜ぶのもそこそこにして死体を隠した。

「なんか臭《にお》いがキツくなってきたな」

三十メートル離れても焼ける処理肉の臭いがここまで流れてきた。

「お、また来た」

五匹目も難なく駆除。笑いが止まりませんわ〜。

「この作戦、ありだな！」

とは言え、バラけているので八匹で打ち止め。気配があるほうに移動し、焼肉作戦を決行。また一匹ずつ背中から斬りつけてやった。

だから相棒は？　なんてことは聞く耳持たん。弾もタダじゃないんだよ！

さらに場所を変えること五回。三十八匹もこの世からおさばらさせてやったぜ！

「たった数日で十九万円とか笑いが止まりませんわ！」

ふふ。今日はこれで終わりにして祝宴だ。あ、稼いだんだし、刺身の盛り合わせを買っちゃおうっと。

◆◆残念?◆◆

暖かい日が続いている。

別に春になったわけじゃないだろうが、ゴブリン駆除を強制された者としてはありがたい限りだ。

「靴も新調したし、多少のぬかるみも問題なしよ!」

ただ、問題なのが出歩くゴブリンが少ないことだ。焼肉作戦もできず、気配を追って相棒で撃つの繰り返し。四日で六匹しか駆除できなかったよ。

「ここもか……」

この四日でゴブリンの巣(仮)を何ヶ所か見つけたのだが、山の斜面に作ってあり、かなり奥にいるみたいなのだ。

処理肉を置いて出てきたところを、と思ったんだが、出てくる気配はまるでなし。二、三匹はいるのによ。

直径三十センチの穴の中を照らしてみるが、ここも姿は見えなかった。

気配からして三メートルくらい奥。緩くカーブしていてその先に固まっている気配がする。少なくとも三匹はいるな。

「うーん。出歩くゴブリンを探すより巣を探すほうが楽なのにな～」

だからと言って掘るのも大変。冬眠でもしているのか？

「バ○サンでも焚《た》くか？」

いや、冬眠してたら吸わないいか？

「なら、火炎瓶は？」

失敗して火達磨《ひだるま》になる未来が見える。

「……ダイナマイト、いや、手榴弾《しゅりゅうだん》か？」

とりあえず、少し離れてセフティーホームに。缶コーヒーを飲みながらタブレットで探してみた。

「手榴弾もいろんなのがあるんだな～」

しかも三百円から四千円と、値段もバラバラ。さすがに三百円はないな。触りたくもない。

「安全を考えて四千円のM67を買うか」

手榴弾の適正価格を知らんからなんとも言えんが、やはり四千円は高い。使いどころを選ぶものだな。

「まっ、試しだ」

資金的に余裕があるときに試しておこう。

まず一個買い、どんなものかを確かめる。

やり方は映画通りだろう。レバーを握ってピンを抜く。五秒くらいで爆発、だったな。

何度も頭の中でシミュレーションしてから外に出た。

ピンを抜いて穴の中に放り込み、すぐに伏せ――たら転げ落ちてしまった。

――ドン！

と重い音と振動が伝わってきた。

「……結構威力があるんだな……」

映画では過剰にしているんだろうが、現実の手榴弾も凄《すさ》まじい。そりゃ、人も死ぬわ。

「ん？　あれ？　二万円が入ったぞ？」

気配は三匹。なのになぜ二万円入る？　意味わからんぞ。

「まあ、なんでもいいや」

死んだゴブリンだけがいいゴブリンだ。深く考えるのは止めておこう。やっていればそのうち理由もわかるだろうさ。

「何はともあれ手榴弾は有効ってことだ」

ジャケットについた汚れを叩いて落とし、次の手榴弾を買いにセフティーホームに入った。

「へー。手榴弾を入れるポーチもあるんだ」

ポケットに入れて歩くのもな～と思って適当にショルダーバックやポーチを探していたら見つけたのだ。

「出歩くゴブリンも少ないんだし、マガジンポーチは外して手榴弾のポーチをつけるか」

ポーチと手榴弾を買い、マガジンポーチと交換した。

「昼までもう一ヶ所はいけるな」

外に出て気配を探り、固まっているところに向かった。

二十分くらいで到着。気配は三。ここも三メートルくらい奥に気配があった。

「あの手でよく掘ったものだ」

穴を掘る苦労はオレもよくわかるよ。

「でも、罪悪感はないのでオレの糧になってください」

手榴弾のピンを抜いて穴の中にポイ。速やかに退避。六万円が入ってきた。はぁ？

深く考えるなと言っておいてなんだが、気になってしょうがねーよ！　なんで気配が三つなのに六万円になるんだよ！　意味わかんねーよ！

疑問を抱えながら昼を挟んで次の場所に向かった。

次の穴は気配が一つ。手榴弾を入れて爆発したら一万円が入ってきた。なんのミステリーだ？

「……もしかして、妊娠か……？」

ふと思い浮かび、これまでのゴブリンがオスだったことを思い出した。

アニメのゴブリンにとらわれてゴブリンはオスだけかと思っていたが、この世界のゴブリンはメスもいるってことらしい。

「……つまり、エロはなし、ってことか……」

残念、と思ったそこの君。この好き者め！

◆◆ブービートラップ◆◆

「なんだ？　ゴブリンのコロニーに辿《たど》り着いたのか？」

出歩くゴブリンばかりに集中していたから気づかなかったが、固まっているところに集中したらあちらこちらに巣があった。

まあ、あちらこちらと言っても巣と巣の間は数十メートルくらい離れており、山の斜面にあることが多かった。

手榴弾駆除を始めて五日。二十以上の巣を爆破し、五十万円くらい稼いでしまった。もちろん、手榴弾と食費、日用雑貨、衣服とで、実質三十万円くらいの儲けだが、五千円を稼ぐのに苦労していたあの頃がなんだったのかと思うぜ。

「この山だけで三十以上はあるな」

ゴブリンの巣を一つ一つ爆破していったらこの山に辿り着いてしまったのだ。

移動する手間は減ったが、エサを探しに出歩くゴブリンが多くなった。

今なら五匹くらい現れても冷静に撃ち殺せるが、六匹以上は戦略的撤退を余儀《よぎ》なくされる。

「これは、作戦を考える必要があるな」

まず、出歩いているゴブリンを駆除するために、少し離れた場所に二キロの処理肉をばら撒き、木に登る。

しばらくして処理肉の臭いに釣られてゴブリンがわらわらと集まってきた。その数三十匹以上。

多すぎだよ！

ここのゴブリンも痩《や》せており、オレに気づくことなく処理肉を無我夢中で貪《むさぼ》り、いくつか抱えて去っていった。恐らく、自分の巣にいるメスに運ぶんだろうな。

「そういう習性があるんだ」

まあ、メスがいて子供を宿していたらオスが探しに出るのが当然の帰結だわな。

気配に集中すると、オスのゴブリンが固まっている気配に混ざった。

「もう、二、三回やれば油断するかもな」

今日はこれで終わり、次の日は五メートルくらい離れて処理肉をばら撒き、木に登って様子を見る。

十五分くらいしてゴブリンどもが集まってきた。

今回は軽く見ても五十匹はいるだろうか？　周りに誘発されて集まったのかな？

処理肉は二キロなので奪い合いが開始され、弱いゴブリンは殴られたり噛まれたりして戦線離脱していった。

二分もしないでゴブリンどもはいなくなり、戦線離脱したゴブリンどもが残された。

木を下りて、ピクピクするゴブリンをマチェットで殺していく。

「てか、共食いはしないんだな」

まあ、処理肉に夢中でしなかっただけかもしれんが、どうでもいいことだ。二万五千円も入ったので今日はカツ丼大盛りに担担麺《たんたんめん》をつけようっと。

そんでもって次の日。外に出たらゴブリンの気配がとんでもないことになっていた。

「どんだけ集まってんだよ!?」

すぐにセフティーホームに戻り、作戦変更をする。

処理肉を追加で買い、買い置きしていた土嚢《どのう》袋に詰め込んだ。

五つの土嚢袋の口に手榴弾をビニールテープで巻き、ピン同士を釣り糸で結んで繋《つな》げた。

土嚢袋を一纏めに抱え上げて外に出た。

「さらに集まってんな」

昨日の場所から三百メートルくらい離れててよかった。

土嚢袋を円になるよう置き、焚き火を起こして処理肉を少し放り込み、残りは周辺にばら撒いた。

「チッ。もう嗅ぎ取ったか」

風で臭いが流れたのか、ゴブリンの気配が動き出した。

すぐにその場から逃げ出し、百メートルくらい離れて大きな木の陰に隠れた。

相棒を握りながら待つことしばし。手榴弾が爆発した。

五つ聞こえたかはわからないが、二発は聞き取れた、気がする。

「……六万五千円か……」

てことは十三匹か。思いの外倒せなかったな。だが、何十もの気配はその場から離れてはいない。

二十四以上は逃げられたけど。

相棒を構えながら戻る。

「……グロ耐性があってよかった……」

でなかったらリバース祭りだ。

「手榴弾、エゲつな」

死ななかったゴブリンの哀れなことよ。痛みで涙や鼻水、涎《よだれ》を垂れ流しながらギーギー喚《わめ》いているよ。

「まっ、なんとも思わないから無慈悲に殺すんだがな」

ゴブリンの頭を撃っていき、なんとか逃げるゴブリンには背中を撃ってやった。

新しいマガジンに交換して追うと、先で爆発が起こった。

「やはり爆発しなかったのがあったか」

まあ、そう上手くいくわけもなし。離れたところで爆発してくれてよかったと思い、次に活《い》かすとしよう。

今ので一匹。強いヤツか狡賢《ずるがしこ》いのが死んだのだろう。

「今日はこれで終わるか」

安全のために一キロほど離れてからセフティーホームに入った。

◆◆大洪水◆◆

「寒っ!?」

次の日、さあ、やるぞ！　と意気込んで外に出たら、心臓が止まるんじゃないかってくらい寒かった。

昨日は春の陽気だったのに、なんでこんなに寒くなるんだよ！　三寒四温か？　春は曙《あけぼの》か？　そういうのは前以《もっ》て教えてくれよ！

なんてことよりセフティーホームに戻れや、オレ！

転がるように戻り、使い捨てカイロを買って体中に貼りつけた。

「クソ。凍死したゴブリンを笑えんな」

準備運動を念入りにやって外に出た。

「……さすがに出歩いているのはいないな……」

巣の中で寒さに堪えているって感じだ。

「てか、この寒さでも手榴弾は爆発してくれるのか？」

仕様までわからんので、ポーチから出してジャケットのポケットに移した。

巣に向かって歩き、手頃な穴に手榴弾を放り込む。

温めたお陰か知らんが、ちゃんと爆発してくれ、四匹を駆除できた。

手持ちの手榴弾が切れるまで続け、なくなったら補給しにセフティーホームに入った。

効率が悪いなーとか言われそうだが、体力をつけるためには歩くしかない。春になって活発になったゴブリンに追いかけられるとかゴメンである。

暖かくなる前に体力を増やし、ゴブリン駆除で稼ぎ、来たる日に備えなければならない。そう、これはチャンス。寒さで動けない間に巣を叩く。がんばれオレ。負けるなオレ。今はボーナスタイム。寒さに負けずがんばれ、だ。

「ふー。また暖かくなってきたな」

三日くらいしたらまた気温が上昇。十度くらいになったんじゃないか？　じんわりと汗が出るよ。

ニット帽を取り、額の汗を拭う。そろそろ春の装備を考えないとな。

山の頂へ登り、ちょうどいい岩に腰かけた。

「……そろそろ人に会いたいな……」

現地人がどんなものかわからないが、ダメ女神の言葉からしてそれなりの文明文化は持っている感じだ。冒険者ギルドを創ったって話だしな。

「異世界転移か」

今さらながら笑えてくるよ。まさか自分の身に起こるんだからな。

そういう創作物は好きだ。その手の漫画も読んだことがある。なんなら妄想したこともある。だが、まさかゴブリン駆除しろとは夢にも思わなかった。やらせるならチート一つくらい寄越せってんだ。

「ハァー。イカンな。愚痴が出るのは気持ちが散漫になっている証拠だ。しっかりしろ、オレ！　死にたくなければがんばれ！」

ポジティブに考えろ。巣の爆破で五十万円はプラスになった。セフティーホームも充実してきた。毎日三食美味いものが食えて酒も飲めている。工場勤務していたときより豊かだぜ。

そう自分を奮い立たせていると、なんか肝が冷えるほどの鳴き声が響き渡った。な、なんだ⁉

危険を感じたら隠れろが身についたようで、すぐに木の陰に飛び込んでいた。

「……マ、マジかよ……」

空を優雅《ゆうが》に飛ぶレッドなドラゴン。数百メートル上空を飛んでいるというのに、その威圧は漏らしてしまうほど凄かった。

……そ、そう言えば、この世界には魔王もいるんだった……。

レッドなドラゴンはそのまま飛び去っていき、何事もなく終わった。

だが、オレの下半身は大洪水になっていた。

三十歳にもなって何やってんだと笑うべからず。あんなもの見たら誰だって大洪水を起こすわ。

メッチャ怖かったんだからな！

セフティーホームに入り、玄関で全部脱ぎ捨ててユニットバスに向かい、熱い湯を浴びた。

さっきまで汗をかくほど暑かったのに、今は寒くて仕方がない。震えが止まってくれないよ。

「……あんなのがいるとか反則だろう……」

別にオレが戦う必要はないんだが、あんなのがいる世界でゴブリン駆除とか、危険手当一千万円もらわんとやってらんねーよ。

「あんなとの戦わなくちゃならないヤツはご愁傷様だな」

いくらチートをもらってもあんなのと戦うとかオレには無理だ。大洪水じゃなく土砂崩れを起こすわ。

「ハァー。この先どうなるんだよ……」

あんなのを見たらネガティブにしかならないわ。

一時間以上、熱い湯を浴びて寒さは収まってくれたが、小さな震えは収まってくれなかった。これは酒の力を借りるしかないと、飲んだことのないウォッカを買った。

急性アルコール中毒とか知るか！　どうにでもなれ！

蓋《ふた》を外し、ラッパ飲みでウォッカをがぶ飲みした。

3　二人目

◆◆チートの沙汰《さた》も金次第◆◆

「……生きている……」

死ぬ覚悟をしてウォッカを飲んだのに、二日酔いになることもなく気持ちよく目覚めた。

「オレ、こんなに酒に強かったっけ？」

飲み会のときは結構飲んではいたが、次の日は二日酔いを起こしていた。ウォッカを飲んで快適起床とかあり得んだろう。

「……もしかして、ダメ女神の力か……？」

それが本当かはわからない。が、今は助かったと思っておこう。死ぬそのときまで引きこもりは嫌だし、誰かに会いたい。このまま独り身は嫌だ。せめて友達は欲しいよ。

「起きるか」

てか、裸のまま眠っちゃったよ。

「裸で起きるの、なんか侘《わび》しいな」

そのままユニットバスに向かい、シャワーを浴びて体を起こした。

新しい下着に着替え、タブレットでコ〇ダのモーニングセットとカフェオレを買った。う〜ん。

優雅〜。

やる気のギアを少しずつ上げていき、サードになったら玄関へ。放置していた大洪水の後始末を片付ける。

「なかった。大洪水なんてなかった」

三十六万円を使って玄関をリフォーム。三倍くらい広くして、物を置ける棚とオレだけ落ちないダストシュートを設置。落ちたものは外、少し斜めに落ちるように設定。そして、中からしか見えない窓を取りつけた。

窓と言っても空中に浮かんでおり、三百六十度動けるようにしたので、遮蔽物《しゃへいぶつ》がないところなら有効なはずだ。

ダストシュートを発動させ、大洪水の残骸を捨てた。十五日には消えてくれるだろう。アーメン。

「新たな装備を買うとしよう」

これまでの苦労は？　とか考えない。装備は思い出とともにボッシュート。これからオレは生まれ変わるのだ。

軍隊が着ていそうなシャツとカーゴパンツ、ジャケット、グロック17、マガジン五つ、ホルスター、ベルト、ポーチ三つ、マチェット、折り畳みナイフ、防刃アームカバー、手袋、軍用ブーツ、熊よけスプレーを買った。

全部で十三万円かかったが、手榴弾と弾、細々としたものは買ってある。また巣を探せば充分取り返せるさ。

午前いっぱい使って準備を整える。

「残り八万円か。まあ、振り出しに戻るよりはマシだな」

強いて言うなら冷蔵庫とビールの買い置きをしておきたかった。ビールがオレの源なんだからな。

「チートの沙汰も金次第、か」

唯一もらえたのはセフティーホーム。これを活かして安全に、効率よく、賢くゴブリンの駆除をしていくしかない。

窓から周囲に危険がないかを確かめる。

「下にも移動させられるようにするんだった」

目線の高さにしたから下が見えん。死角に危険なものがいたら命を失いかねんな。

まあ、改善は徐々にやっていけばいいさ。とりあえず、周囲には危険な存在はいない。新たな相棒、グロック17をホルスターから抜いた。これは引き金が二つあり、一緒に引かないと弾が出ない仕組みだ。

「大丈夫。使い方は本やDVDで覚えた。今のオレならちゃんと使える」

タブレットはネットには繋げられないが、本やDVDは買える。それを見ればなんとか使えるようになる世界。ほんとこえーよ。

相棒をホルスターに戻して外に出る。

「ちょっと寒いな」

でも、使い捨てカイロを貼るほどではない。動けば気にならなくなるだろうよ。

「さて。ゴブリンはどこだ？」

さすがに近くにはいないが、気配を感じられる距離にはいる。

「あっちが多いかな？」

これまでの感じから察知できるのは約三キロ。はっきりとわかるのは五百メートル内だ。

もっと鍛えて姿がわかるくらいにしないとダメだ。木々に隠れて奇襲とか嫌だからな。

かと言ってゴブリンだけに目がいっても困る。他の危険を見落としたらジ・エンド。周囲を警戒できるようにならないとダメだ。

ニューマチェットを抜き、警戒しながら山を下りていく。

下りたらまた気配を確認。多いほうへ進む。

しばらく進むと、移動している気配を感じた。数は二。距離はうっすらとだが二キロ以上は離れている。

「二匹ならマチェットでいけるな」

ゴブリンへの恐怖心はないし、痩せこけて動きが鈍い状態なら今のオレでも相手できる。マチェットでの戦い方も学んでおかないといけないしな。

気配に向かって進み、三十メートルまで近づいたらゴブリンどもに気づかれてしまった。

飢えた状態では嗅覚が増すのか？

こちらが一人だとわかったようで、ギーギー鳴きながら突っ込んできた。

ここで大振りはできないと、戦いやすい場所に移動。マチェットを構えた。

大丈夫。オレは落ち着いている。

「さあ、来やがれ！」

飛びかかってきたゴブリンを上段から力任せに斬り下ろした。

クソったれが！　お前ら全員オレが駆除してやるよ！

◆◆暖かくなってきた◆◆

「暖かくなってきたな〜」

もう初春と言っていいんじゃないだろうか？　もうジャケットを着ているのも辛《つら》くなってきたよ。

「そろそろ春の装いにしないとな」

防寒用のインナーから吸汗乾燥のインナーに替え、ニット帽も虫よけ網のついた帽子に替えるか。

なんか細かい虫が飛び始めているし。

「そろそろグロックからアサルトライフルに持ち替えるか」

ゴブリンなら拳銃の弾でも充分だが、暖かくなれば他の動物——この世界なら魔物か？　その魔物と遭遇しないとも限らない。熊くらいのが出たらグロックでは心許ない。サブマシンガンでも不安だ。５．５６㎜弾でないと倒せないだろうよ。

ただ、アサルトライフルは高い。大体二十万円はして、弾は一発あたり八十円くらい。三十発入るマガジンも安いので三千円もした。出費を考えたら手が出せなかったのだ。

だが、手元には八十万円ある。

巣を地道に爆破し、エサを探すゴブリンをプ〇デターの如《ごと》くキルしてやった。

もう数えるのも面倒だが、二百匹以上は駆除してやったよ。

「そう考えると、ゴブリンどんだけいんだよって話だな」

そりゃダメ女神が異世界から拉致ってくるはずだ。いや、肯定してやらんけどな！

「目覚めのときか」

処理肉を土嚢袋に詰め、木に括《くく》りつけると、三十分もしないで集まってきた。

ゴブリンはコロニーを作る習性があるのか、ゴブリンの巣山がいくつもあった。ちなみに、三つ潰しました。

暖かくなってきたからか、たくさんのゴブリンが巣から出てきてエサを探している。

寒いときは四匹が最大だったのに、暖かくなってからは最大で十三匹で行動しているよ。

さすがに十三匹は無理なので、六匹以下の集団を探し、マガジン一本で足りるよう駆除していった。

「八匹か」

ちょっと多いが手榴弾なら半分は行動不能にしてくれるだろうよ。

木の陰で待つことしばし。手榴弾が爆発した。死んだのは四匹。残りは重症って感じだな。

他の群れはまだ二百メートルは離れている。すぐに木の陰から出て重症のゴブリンを始末して撤退する。

ゴブリンがいないところでセフティーホームに入って次の罠を持ち出した。

「……ゴブリンのヤツ、やっぱり共食いをするな……」

少し前からそんな気配はしていたが、今回のことで確信した。ゴブリンは飢えたら共食いをする生き物だ。

まあ、人間も極限状態になれば共食いだってするし、そんな生き物は他にもいる。これといった嫌悪はないが、処理を考えないとゴブリンどもを活気づかせるだけだ。

とは言え、今はどうすることもできない。優先するべきは処理肉の味を覚えさせつつ罠を仕掛け、少ない群れを相手するしかないだろう。

その日は三十七匹を駆除でき、十八万五千円をゲット。まずまずの儲けである。

夕方四時にはセフティーホームに入り、その日の汚れを落とし、下着なんかを洗う。

終われば晩飯。ビールは一本だけ。二時間ほど休んだら玄関で明日の用意を済ませ、柔軟運動してから三万四千円したサンドバッグを打った。

これでどこまで強くなれるかわからないが、山を歩いてばかりでは強くはなれないのはわかる。格闘技など何も知らないんだから殴ることや蹴ることに慣れておくしかないんだよ。

一時間やったらまたシャワーを浴び、寝るまでの間、アクション映画や戦争映画を観て強くなったよう自分に思わせる。自分はやれる。できる。生き残れると自己暗示をかけるのだ。

単純な。とか言わないで欲しい。素人が強くなる方法などこれしか思いつかないんだよ！

映画一本観たら柔軟体操をして眠りにつく。しっかりとした睡眠は明日を生きるのに必要なこと。

八時間はしっかり眠るのだ。

そして、自然に目覚めて起きる。ってことのなんて幸せなことよ。目覚まし時計で起きることがなくなったのが救いだよ。

今日の朝飯は納豆と玉子焼き。具材いっぱいの味噌汁《みそしる》。サバの塩焼きで今日を生き抜く力と変えた。

食後のコーヒーを飲み、トイレを済ませて準備に取りかかる。

「あ、アサルトライフル買うんだった」

今日も早く終わってアサルトライフルを買うとしよう。訓練しないといかんしな。

「手榴弾よし。グロックよし。弾よし。マチェットよし。装備よし。体調よし」

工場で学んだ指差しチェック。安全第一。ご安全に、だ。

窓から外を確認。三百六十度よし。グロック17に手をかけて外に出た。

さあ、今日も生き抜きますか！

◆◆逃げるが勝ち◆◆

「ん？　あれ？　ゴブリンの気配がない？」

いや、近くのコロニーにはたくさんの気配がある。だが、エサを探しているゴブリンの気配がないのだ。

「……どうなっているんだ……？」

ゴブリンの気配が揺らいでいる。これは……脅《おび》えている、のか？

これまでの経験から気配には喜怒哀楽がある。飢えているときの不安。痛みへの怒り。食い物があったときの喜び。これは、強者への恐怖だ。

「な、何かいるのか!?」

すぐにグロック17を抜いて構えた。

耳栓を外し、周囲の音に耳を澄ませる——が、これといったものは聞こえない。静かなものである。

「……いや、静かすぎるんだ……」

野鳥のような鳴き声はあったはずなのに、今はそれがない。山全体が脅えているかのようだ。

「ヤバい感じがする」

近くの木に罠を仕掛け、少し離れてからセフティーホームに入った。

窓から様子を眺めること三十分。なんかヤバいものが現れた。

最初は熊かと思ったが、アフリカ象よりデカく、黒い体毛に覆われ、前脚が長く後ろ脚は短い。

窓が動かせないので下半身しか見えないが、下半身だけでもヤバいことが理解できた。

……レベル40になったら戦えるヤツだぞ……。

力士の胴回りくらいある木を前足だけで倒し、熊のような口で木ごと土嚢袋を口に入れてしまった。

「罠ごとかい」

どんだけアゴの力が強いんだよ？　戦車だって噛み切れんじゃないか？

処理肉を丸飲みすると、手榴弾の爆発音が。だが、バケモノに被害はナッシング。スンスンと辺りの臭いを嗅ぎ出した。

恐らく、オレの臭いを探しているのだろう。臭いが途切れたことに戸惑い、やがてどこかに去っていった。

恐怖で足がすくんでしまったが、レッドなドラゴンほどではない。大洪水は起きなかった。

「……レッドなドラゴン以外にも凶悪なのはいるとは思っていたが、まさか始まりの地にいるのは反則だろうが……」

物語では現れるところではないところに高レベルモンスターが現れる話はあったが、あれはチートがあってこそ許されるもの。ゴブリンを駆除して五千円をもらえるオレのところに出るもんじゃないよ！　全力ダッシュで逃げる一択だわ！

とは言え、あんなのから逃げるにも知恵を使わないと逃げ切れない。ゴブリンの気配がわかってもあのバケモノの気配はわからないんだからな。

「ダメだ。逃げ切れる未来が見えない」

詰みなのか？　脱落なのか？　オレの人生、ジ・エンドなのか？

「クソ！　死にたくねーよ！」

やっとゴブリン駆除にも慣れてきたのに、こんなところで死ぬなんて絶対に嫌だ！　もっと生きたいよ！

だったら考えるしかない。知恵を駆使するしかない。考えろ、オレ！

「あのサイズだ、素早く動けるとは思えない。臭いで獲物を追うか死肉を探すかだろう」

ただ、あの巨体を維持するには大量のエサを食うはず。ってことは、肉以外にも食うか、大量の獲物を捕まえられる術《すべ》があるかだ。

なんにしても相手を知らなければ対処のしようもない。って、思うのが英雄なんだろうな～。

生憎《あいにく》、オレは元工場作業員。元になっているのが悲しいが、勝てない相手に血を燃やすタイプではない。嫌なことからは逃げ出すし、長いものには巻かれるタイプ。怖ければ大洪水を起こすチキン野郎だ。ダメ女神が言ったように普通オブ普通な男なんだよ！

だから普通の男は勝てないなら挑まない。逃げることを恥とは思わない。

普通、ナメんな！　だ。

とりあえず、新しい装備を調えるとしよう。

ホームに入り、アサルトライフル——HK416 - A5ってのにした。

素人のオレにはわからない。なら、と軍隊が使っているものを雑誌から選んだのだ。最強の軍隊を持つ米の国の兵士も似たようなの使っていたしな。

「雑誌から取り込んでも買えるから便利だよ」

あと、プレートキャリア、とか言うのか？　ベストのようなものはサバゲー雑誌から取り入れた。

腹の前にマガジンが三本入れられ、胸にポーチがついている。脇には手榴弾のポーチを二つ取りつけた。

「鉄板が入ってないのにまあまあの重さになるな」

腰回りのベルトはグロック17のホルスターをつけ、予備のマガジンポーチは二つ。アサルトライフルのマガジンポーチを一つ。右腰にマチェットを装備させた。

あと、最後にランチバッグとシュールストレミングを十二缶買った。

シュールストレミングとは世界一臭い缶詰と言われるニシンの缶詰だ。

あのバケモノが臭いで獲物を探すのなら臭いもので嗅覚を誤魔化してやればいい。嗅覚が鋭ければより効果があるだろうよ。

まあ、自分も臭くなるは嫌だが、背に腹は代えられない。あんた臭いよ、と言う相手もいないんだからな。

「まずはこの地から離れながらアサルトライフルを練習するか」

あんなバケモノがいる場所でゴブリン駆除なんてやってられるか。逃げるが勝ちだ。

「絶対、生き抜いてやる」

そう覚悟して、外に出た。

◆◆サプレッサー◆◆

ランチバッグからシュールストレミングを出し、木の根元に置いて、五メートル先から撃った。

けど、一発目は外れ。二発目で当たった。

缶詰が破裂して、悪臭が具現化したようなものが辺りに散らばった。

「うっ、キッツ」

なかなかどうして凶悪である。もう離れたほうがいいな。

五十メートル離れたらまた同じことをして、この一帯をシュールストレミングの臭いで満たしてやった。

「こんなものでいっか」

まだ弾は残っているが、新しいマガジンと交換。コロニーとは反対のほうに向かって逃げ出した。

山を一つ越えたら休憩。水を飲んで五分休み、また走り出す。

十キロは離れたら周囲を見渡し、ゴブリンの気配を探る。

察知内に何匹かいるが、脅える気配は消えてない。まだあのバケモノのテリトリーってことだろう。

まだ日が暮れるまでに一時間はある。もう少し移動するとしよう。

そんなことを続けること三日。大きな川に出た。

川幅は十数メートル。水深はそれほど深くもなく、流れも穏やか。泳いでいる魚が見えるくらい清らかな川であった。

「釣りがしたくなるな」

いや、釣りなんて趣味じゃないし、竿《さお》を買ってまでやりたいとは思わないが、張り詰めた気持ちを静めてくれるくらいには綺麗《きれい》な川なのだ。

「お、鹿だ」

ぼんやり眺めていたら、川向こうに鹿……だと思う生き物が現れた。

元の世界の鹿とは違い、角が前に鋭く伸びており、背中が鱗《うろこ》で覆われていた。

「……異世界だな……」

こうして安全な場所から草食獣（仮）を見ていると、改めてここが異世界なんだと感じてしまうよ。

あちらもオレに気づいたようで、一瞬こちらを見て山の中に逃げていった。

「ほんと、ゴブリンの気配しかわからんて怖いわ」

まだ草食獣（仮）だったからいいが、熊と出会ったら大洪水を起こすわ。

「ゴムボートで川を下るか？」

いや、この先に滝があるオチだろう。その手には乗らんぞ。

「お。ゴブリンの気配だ」

川向こうの山の中にゴブリンの気配を感じた。

数は四。気配の固まり方、進む速度、これはエサを探す出歩き組に間違いない。

「他にもいくつかいるな。もしかするとコロニーがあるかもしれんぞ」

これなら新装備を調えた分を取り返そうだ。それに、まだ必要なものはある。稼がせていただきましょうかね。

浅瀬なところで川に入り、向こう側へ渡った。

靴がビチョビチョになったので一旦セフティーホームへ。靴と靴下を替えて外に出た。

気配は約三百メートル。警戒している気配ではないので、天敵はいない感じだ。

風上とか風下とかわからんので、登りやすいところを選んで標的と決めたゴブリンの群れに向かった。

「さっきから止まってんな。何してんだ？」

もう十五分くらい同じ場所にいる。

ＨＫ４１６を背中に回し、這うように近づいていき、見える位置を探す。

なんとか探し当て、ゴブリンどもの様子を探った。

……穴を掘って何してんだ……？

しばらく見ていると、なんか黒い塊を掘り出した。山芋か？

その黒い塊は結構あるようで、四匹が頭を突っ込んで掘り出している。

なんてゴブリン観察をしている場合ではない。好奇心より目先の二万円だ。

木に寄りかかりながらＨＫ４１６を構え、気配の中心に向かって連射で撃った。うるさっ⁉

耳栓をしているが、音が反響して凄まじい。こんなの毎回聞いてたら難聴になるわ！

クソ。高くて諦めたが、ちゃんとサプレッサーを買っておくんだったぜ。

「近くにいた群れが逃げたか」

うん。サプレッサーは買うべきだな。

山を下り、川沿いに出てからセフティーホームに入った。

「サプレッサーは八万三千円。十七匹を駆除しないと元が取れんのか。ハァー」

仕方がないとわかっていてもため息が漏れてしまうよ。

「よし。サプレッサーの効果を確かめるとしよう」

そう気合いを入れて外に出て、次の獲物に向かった。

五十メートルまで近づき、連射から単発に切り換え、ゴブリンの背中を狙って撃った。

——パシュ！

耳栓をしても聞こえる音がしたが、五十メートル先のゴブリンには聞こえないようで、他のゴブリンどもが何事かと慌てていた。

狙いを変えて次を撃つ。さらにさらにで四匹を倒し、一匹は肩を。もう一匹は足に当たったにも関わらず逃げられてしまった。

「意外としぶといな」

やはり食うものを食っていると、野生の猿並みには生命力がつくみたいだ。いや、猿の生命力がどんなものか知らんけどよ。

まあ、なんにせよ、だ。サプレッサーの効果は見せてもらったよ。

◆◆コロニー◆◆

ゴブリン駆除は順調だった。

もう春と言っていい気候なので、巣に閉じ籠っていたメスや子がエサを探しに出てしまった。

お陰で巣の爆破はできなくなったが、ブービートラップにはおもしろいようにかかってくれた。

「フフ。三日で六十万円か。笑いが止まらんな」

とは言え、こんな順調なときだからこそ問題は起こるもの。ゴブリンの気配が変わったのだ。

これは、恐怖、か？

一匹二匹と気配が弱まっていき、次々と消えていった。

同時くらいに気配が消えたことからしてゴブリンを襲っているのは複数体。群れで行動しているヤツだ。

すぐにセフティーホームに入り、クーラーボックスに入れた処理肉を持ってきた。

近くの木にブービートラップを仕掛け、ゴブリンが密集しているところに駆け出した。

「まったく、弱肉強食な世界だよ」

ゴブリンは今も襲われているようで、気配が次々と消えていた。

三十分ほど駆けると、手榴弾の爆発音が聞こえた。さらにもう一つ。ちゃんと引っかかってくれたようだ。

またセフティーホームに入り、シュールストレミングを持ってくる。

ナイフで刺して周辺にばら撒く。そしたらまたセフティーホームに入る。

窓から外を窺うが、十分二十分と時間が過ぎても現れることはなし。激臭に逃げたか？

一時間経《た》ってから外に出てみる。臭っ!!

鼻をつまみながらゴブリンの気配を探ると、あちらこちらからゴブリンの恐怖を感じた。

ブービートラップを仕掛けたところに戻ると、栗《くり》色の狼が三匹、血を流して倒れていた。

「普通の狼だな」

大型犬くらいのサイズで、元の世界の狼との違いがわからなかった。

「お前らを殺したところで一円にもならんが、これも弱肉強食。死んでくれ」

弾がもったいないのでマチェットで狼たちの息の根を止めてやった。

「アイテムボックスがあれば冒険者に驚かれるんだがな」

セフティーホームに運び込めないこともないが、死体を入れる趣味はない。ブービートラップとして有効利用させていただきます。

三匹に手榴弾を仕掛けたらおさらば。また山を越えた。

ゴブリンの気配はあるが、狼がいるところなんてゴメンである。安全な場所で安全な駆除を。それがオレのモットーである。

三日ほど山を踏破したら道に出た。

「道だ！　とうとう道に出たよ！」

苦節二ヶ月。やっと人の痕跡《こんせき》があるところに出たぁー！

「なんだ？　盗賊に襲われた馬車が来ちゃったりするのか？」

なんてお約束などまるでナッシング。それどころか道に出て五日。一人も通らねーよ！　ここ、廃道なの!?

「畑もないし、逆だったか？」

ついゴブリンがいるほうに歩いてしまったが、よくよく考えたらいないほうに住んでいるよな。

選択ミスったよ！

「ん？　ゴブリンの群れ？」

群れの数は四十以上。コロニーとは違う反応だな。どうなっているんだ？

警戒しながら進むと、出歩き隊もちらほらといる感じだ。

出歩き隊を回避しながらブービートラップを仕掛けていくと、最初のトラップが発動した音がした。

「今ので四匹か」

さらにさらにで十二匹を駆除できた。

四つで止めておき、ブービートラップで怪我をしただろうゴブリンに止めを刺しに戻った。

「計二十三匹か。出歩き隊、結構いるな」

察知範囲内にはまだ十数以上の出歩き隊がいる。それらを慌てず、がっつかず駆除していき、出歩き隊を確実に駆除していく。

まあ、そんなことやっていけばゴブリンも学ぶというもの。ブービートラップにかからなくなり、警戒や恐怖でコロニーに固まるようになった。

大体、四十四匹だろうか？　これまで八十四は駆除したから元は百二十四の群れだったのだろう。

「巣の爆破よりは手間はかかりそうだが、いい練習にはなるな」

あれはボーナスタイム。これからはこれが当たり前になるんだろうよ。

「他にもコロニーがあるんだし、しばらくここで練習に励むのもいいかもしれんな」

ここに来たときより体力は増えたが、それでもまだまだ軟弱。軍隊に入ってもひーこら言う程度。もっと鍛えないとダメだろうよ。

警戒しながら進むと、村が現れた。

いや、廃村になったところにゴブリンが住み着いた、って感じか。

廃れ具合から数十年は経っている感じだな。崩れている家もいくつかある。石造りの家が残っている感じだな。

ゴブリンの気配は二ヶ所に分かれている。一つは三十匹弱。もう一つは十二匹。なんで分かれてんだ？

一時間くらい隠れて様子を見るが、ゴブリンが外に出てくることはない。籠城《ろうじょう》か？

まあ、なんにせよ、だ。閉じ籠っているならありがたい。スタングレネードを使ってみたかったのだ。

試しにと買ったスタングレネードをホームから持ってきた。

◆◆ヒロイン？◆◆

石造りの家の窓からスタングレネードを放り込んだ。

ドン！　と、すっごい音。耳栓をしていたのに、頭を刺すような痛みを感じる。それに、衝撃もまた凄い。心臓の弱いヤツなら心肺停止ものだぞ。

想像以上の音に体は強張《こわば》ったものの、覚悟はしていたので三秒くらいで立ち直り、手榴弾を放り投げた。

爆発したら三十四弱いる家に走り、窓からスタングレネードを放り込み、両耳を塞いで耐えた。

ＨＫ４１６を構え、家に突入。単発でゴブリンを撃ち殺していった。

その家は村長の家なのか、部屋がいくつかあり、下からゴブリンの気配がした。気配がズレていると思ったら地下室があったのか。

「おっ。こん棒を持ったヤツまでいるんかい」

台所みたいなところに体格のいいゴブリンがいた。

これまでは枝を持っているヤツはいても、人を殺せるほどのものを持ったヤツはいなかった。食い物がいいと頭がよくなるんだろうか？

なんてことを頭の隅で思いながらマガジンの残りをすべてくれてやった。

すぐにマガジン交換。空のマガジンは棚に置いておく。

他の部屋にいるのも撃ち殺し、地下に通じる――ところはどこだ？

それらしい階段もドアもない。ほんと、どこからいけるんだよ？

家の中を隅々まで探すが、それらしきものはなし。外からか？　と探したら納屋っぽいところから地下室に行けるようだった。

気配から待ち伏せしているのが一匹。奥に四匹が固まっている。

残りのスタングレネードを放り込み、伏せて耳を塞いだ。

「……耳栓よりイヤーマフのほうがよかったな……」

失敗は次に活かすとして、ＨＫ４１６を背中に回し、ライトとグロック１７を抜いて地下室に下りた。

「……子供か……」

ゴブリンでも子供を庇《かば》おうとするんだな。まあ、罪悪感なんてないから構わず撃ち殺すんだけどね。

「ふー。撃ち漏らしは十二匹といったところか」

すぐに戻り、逃げ出そうと這い出してきたゴブリンを撃ち殺し、中の撃ち漏らしに止めを刺していった。

「これでここのは駆除できたな」

缶コーヒーを持ってきて一服する。

「……思いの外疲れた……」

もっと精神的にも肉体的にも鍛えないとダメだな。

「ゴブリンを片付けるか」

ここで修業するんだからゴブリンを腐らせて嫌な臭いを立たせるのも嫌だ。まだ新鮮なうちに燃やしてしまおう。

ちょうどいい薪《たきぎ》はそこら辺にいっぱいある。ガソリンでも撒けばさらに燃えてくれるだろうよ。

ＨＫ４１６とプレートキャリアを外してゴブリンを運び出し、廃屋に放り投げる。

さすがに四十四以上いると足腰にくるな。明日は筋肉痛だぜ。

夕方にはすべてを廃屋に放り込められ、携行缶に入ったガソリンを買って廃屋にぶち撒け、ライターで火をつけた。

「風もないし、放置でいいな」

山火事になったらそれまで。オレ知らねーだ。

セフティーホームに入り、装備を投げ捨ててユニットバスに直行。シャワーを浴びて、ビールを一缶飲んだらその日は眠りについた。

次の日、思った通り筋肉痛。マットレスから起き上がるのも辛い。湿布買おうっと。

その日は休みと決め、昼は奮発してうな重を二つ買い、夜はカツカレー大盛りを買った。

筋肉痛も夜には引いてくれ、次の日には完全に消えてくれた。

柔軟体操を十二分に行い、千円もするハンバーガーで朝飯を済ませ、外に出る準備に取りかかった。

なんだかんだと十時までかかり、準備万端になったら窓から外を見る。

山火事になった形跡はなし。燃やした廃屋も鎮火していた。

五分くらい様子を窺ってから外に出た。

HK416を構えて周囲を確認。イヤーマフを外して耳を澄ませた。

「ん？　なんだこの音は？」

グゥ〜〜って音が聞こえる。なんだか腹が鳴っている音みたいだな？

音を探ると、廃屋を燃やした向こうから。あれ？　廃屋の向こうに何もなかったのになんかある。

いや、なんかいた⁉

く、熊か？　バケモノか？　なんなんだよ！

根性を総動員して足を動かしたら、なんのお約束か枝を踏んでしまった。なんでよ⁉

謎の存在の耳に届いたようで、ビクッと反応して起き上がった。

「…………」

「…………」

その存在と目が合ってしまった。

これは夢か？　寝ぼけているのか？　それともなんかヤバいものが充満して幻覚を見ているのか？　遠近法が狂っているぞ！

「……お腹《なか》が空《す》いた……」

その存在がしゃべった。

いや、しゃべれる姿はしている。しゃべれる姿はしているんだが、そのサイズが間違っていた。

「お腹、空いた」

「オ、オレは美味しくないぞ」

アラサーなど食ったら腹を壊すからな。食べないでください。

「人間は食べない。木の実でもいいからちょうだい」

よ、よかった。まだこの世界には希望が残っているぜ。

「わかった。持ってきてやるからそこにいろよ。動くなよ」

お腹空いたと暴れないで。大人しくしてください。

「わかった。動かない」

うん、いい子だ。聞き分けのいい子は好きだよ。

セフティーホームに入り、膝から崩れ落ちた。

はぁ？　はぁ？　はぁあぁぁぁぁぁぁっ!?　いやいやいやいや、何あれ？　なんなんあれ？　異世界だからありなのか？　そういう世界だったの？　クソ！　そういう世界なら言っとけよ！　また大洪水を起こすところだったわ！

「……異世界に来て、最初に会ったのが巨人とかないわ……」

◆◆ピローン！◆◆

「あたしは、ラダリオン。マーダ族だよ」

巨人の少女がそう名乗り、持ってきたわけありリンゴ十キロを一口で食べてしまった。よく噛んで食べなさいよ。

「もっと食べたい」

暴れられたら困るので、わけありリンゴをさらに百キロ買って、えっちらほっちら運んできて少女に渡した。

……二万円が一瞬にして消えてしまった……。

「これ、美味《おい》しい」

「そ、そうか。そんなにいいもんじゃないがな」

正規で買ったら破産する。リンゴ、結構高いんだよ。

「これでお仕舞？」

「金が、金ってわかるか？　物を買うときに必要なものなんだが」

「知ってるけど、あたしは使ったことない。人間の町は大人しか行けないから」

それは朗報。巨人と人間は交流があり、敵対はしてないようだ。

「あたし、持ってない」

「親と一緒じゃないのか？」

捨て子って年齢でもないが、まだ親の庇護下《ひごか》にある年齢っぽい。

「はぐれた。マジャルビンに襲われて」

マジャルビン？　襲われた？　巨人を襲うバケモノがいるってのか？　五年以上生きられないのって、そんなのに殺されたからか？

「お腹空いた」

ぐぅ～と腹の虫を鳴らした。

「なら、親と会えるまでオレの手伝いをしないか？　オレはゴブリン――ゴブリンは知っているか？」

「知ってる。食べるものがないとき、仕方がなく食べる」

仕方がなくとは言え、あれを食うとか凄いな。オレなら餓死を選ぶぞ。

「オレはゴブリンを殺すと金がもらえる。その金で今食ったものを買える。一日二十匹も狩れば腹いっぱい食えると思うぞ」

この少女にどれだけのことができるかわからないが、四メートル以上ある体がある。少なくとも魔物は脅威と感じるはずだ。用心棒代と思えば安……くはないが、命の値段だと思えば駆除もがんばれるはずだ。たぶん、きっと……。

「二十匹でお腹いっぱいになるの？　それならやる！」

――ピローン！

と、脳内に電子音が鳴り響いた。な、何!?

――一之瀬孝人さんのチームにラダリオンさんが加わりました。これによりラダリオンさんも駆除員となり、報酬が与えられます。セフティーホームにも入れます。尚《なお》、セフティーホームは五名まで入室可能です。これからもより多くのゴブリンを駆除してくださいね～。

はぁ？　え？　説明それだけ？　いや、ラダリオン巨人だよ？　その辺はどうなのよ？　もっと詳しく説明しろや、このダメ女神が！

「な、何、今の!? 誰かいるの？」

ラダリオンにも聞こえたのか？ チームメンバーになったから？

「女神の声だ。オレは違う世界からゴブリンを駆除するために連れてこられたんだよ」

「神の使徒、なの？」

「そんな大したものじゃないよ。オレは雑用、使い捨てさ。それより、セフティーホームのことは頭に入っているか？」

「セフティー？ あ、なんか入って――」

と、ラダリオンが消えてしまった。セフティーホームに入ったのか!?

おいおいおい、大丈夫なのか？ セフティーホームでどんなことになってんだよ！ 玄関で変なことになってないよな？

オレも慌ててセフティーホームに入った。

「え？」

「ここがセフティーホームなんだ」

よし待て。ちょっと待て。今、頭を整理するから。

うーと。えーと。目の前にいる少女はラダリオンだ。ラダリオンが小さくなっている。

大丈夫。オレは目の前の事実を受け入れられる。ラダリオンがセフティーホームに合わせて小さくなった。オッケーだ。

「ラダリオンは、ここがセフティーホームだとわかるんだな？」

両肩をつかんで確認する。

「うん。安全なところ、ってのは」

「それだけか？　セフティーホームの使い方とかはどうだ？」

「使い方？　知らない」

本当に雑でダメな女神だよ。クソが！

「ハァー。まあ、いい。まずは食事にするか」

先ほどからグーグーと腹が豪快に鳴っている。これからゴブリン駆除のメンバーとしてやっていくのだから美味いもの食わせてやるか。

「ラダリオンは、何か食えないものはあるか？」

てか、巨人って普段何食ってんだ？　よく種が保存できるだけの食料があるな。この世界は豊かなのか？

「キノコは嫌い。小さい頃食べてお腹を壊したから」

巨人の腹を壊すキノコがあるんだ。怖っ。異世界のキノコ！

「肉は？」

「好き！　滅多に食べられないけど」

毎日食えるほうが怖いな。

「じゃあ、景気づけにステーキを買うか。いっぱい食えそうか？」

「食べられる！」

なら、某ファミレスのステーキ（三百グラム）を買ってやるか。あと、リンゴとジュースもサービスだ。

「さあ、食べな。お代わりもしていいぞ」

その体格なら百キロも二百キロも食うこともないしな。じゃんじゃん食え。

◆◆小さな巨人◆◆

小さくなってもラダリオンは大食漢だった。

「その体のどこに十キロ近い料理が入るんだ？」

セフティーホーム内では約百四十センチ。体重は四十キロくらい。体重の四分の一を食うって異常だろう。それとも巨人なら当たり前の量なのか？

「久しぶりにいっぱい食べられた」

だろうな。二万四千円――リンゴ分を混ぜたら三万四千円だよ。それで満足できないのならメンバー加入はお断りさせてもらっているところだ。

「……眠い……」

そう言うと横になって眠ってしまった。

「大型犬を拾った気分だぜ」

床（材質不明）で寝かせるのも可哀想《かわいそう》だと思って運ぼうとしたらびくともしなかった。はぁ？

「いやいやいやいや、え？　――重っ！　お前、何キロあんだよ！」

フンヌー！　と引っ張るのが精一杯。これ、絶対百キロはある重さだよ！

なんとかマットレスに上げたときは全身から汗が噴き出していた。

「……巨人は巨人ってわけか……」

巨人がこの世界の重力で生きるには、このくらいの筋肉がないとダメってことなんだろうよ。

「こいつにタックルされたら確実に死ぬな」

怒らせないようにしようと心に決め、外の片付けに向かった。

ゴブリンは村長の家（仮）を中心に生活していたようで、枯れ葉の寝床があり、排泄物《はいせつぶつ》もかなりあった。

「こりゃ、ここには住めんな」

まあ、オレたちにはセフティーホームがある。空堀を作って柵で囲めばいいやろ。

プレートキャリアだけを外し、適当な枝を見つけてきて枯れ葉や排泄物を外にかき出した。

「水道があれば丸洗いしてやるのに」

井戸はあったが、どんな病原菌が潜んでいるかわかったものじゃない。汲《く》むのも嫌だ。水はセフティーホームから運んでくるとしよう。

「ゴブリン、結構いるな」

他にもコロニーがあるようで、察知ギリギリのところを何匹かのゴブリンが通りすぎていった。

納屋のほうも片付けてからセフティーホームに入った。

「よく眠ってんな」

襲われて親とはぐれたと言ってたが、本当にそうだろうか？　はぐれて捜せないほどラダリオンが歩けるとは思えない。もしかすると捨てられたのかもしれないな。

ビールを飲みながらラダリオンの寝顔を眺める。

「眠っている姿は可愛《かわい》いんだがな」

勢いで誘ってしまったが、その体重と食欲は脅威でしかない。オレ、ちゃんとやっていけるのだろうか？　考えれば考えるほど不安になってくるぜ……。

「いや、それはあとにしてだ。身近な問題から片付けていこう」

ラダリオンがセフティーホームに入れた。肉体だけではなく着ているもの、装備しているものまで小さくなってな。

なら、違う服で外に出たらどうなる？　武器はどうなる？　できるとしたらどこまで許容される？　オレと同じ十五日縛りはあるのか？　出入りはどうなる？　オレが死んだら？　ざっと思っただけでもそれだけある。

「クソ。その辺がどうなっているかも教えやがれってんだ」

しばらくラダリオンとやっていくならその辺のことも知っていかないとダメだろうな。

それに、ラダリオンがどこまでやれるかも知っておかないと連携もできない。踏み潰されてお仕舞では泣くに泣けねーわ。

「残金七十二万円と少しか」

一日の食費が十万円だとしても七日が精々だな。

ここでの訓練も一月が限界かな？　駆除し尽くしたら別の場所に移らないとダメだな。

「……先が不安でしかないよ……」

ホジティブになろうとしてもネガティブにしかなれない。好転する材料が何もないんだからよ。

ビールを飲み干し、もう一缶買って飲んだ。

「全然美味くねーぜ」

でも、飲まずにはいられないこの状況。人が酒に溺れるのがよくわかるよ。

ワインに移って飲んでいたら寝落ちしてしまい、ラダリオンに揺すられて目覚めた。

「タカト、おしっこ」

目覚め一発に聞きたくない言葉であるが、漏らされても困る。頭を抱えながらユニットバスに連れていき、トイレの使い方を教えた。

「あと、体を洗え。お前、臭すぎだ」

風呂なんて入らないのだろう。とんでもない臭いがするよ。

お湯を出して外に出た。ガスはいくら使っても維持費は同じ。なら、惜しみなく使えだ。

「体を洗ったら声をかけろよ」

そう言ってユニットバスを出てラダリオン用のバスタオルやLサイズの上着を買い、終わるのを待った。

しばらくして声が上がり、ドアを少し開けてバスタオルを突き出した。

「服はそのままにしておけ。あと、これを着ろ」

上着を反対にして着てきたのはスルーして、蛇口を閉め、湯船にラダリオンが着ていたものを放り込んだ。

買ったものを着て外に出れたら廃棄してやる。

「タカト、お腹空いた」

昨日、あれだけ食ったのにまだ食うんかい！　って言葉をのみ込んだ。

大量購入の味方、コ○トコからホットドックを三十個、ピザを五ホール、二ガロンのオレンジジュースを八本買った。

「今日からゴブリン駆除をやる。しっかり食ってしっかり働けよ」

オレもホットドックを二つ食って今日を生きる力に変えた。

◆◆優秀◆◆

まず、ラダリオンに外に出てもらい、すぐに戻ってきてもらう。

ちゃんと上着は着ており、スッポンポンにはなってなかった。ちゃんとした決まりはあるようだ。

それがわかれば服選びだ。下着はよくわからんからSサイズのを買っておけば問題ないだろう。まだ幼児体型だし。

メジャーを買い、体のサイズを測る。

登山用の子供服からよさげなものを選び出した。

「こんなものか？　どうだ、キツくないか？」

多少袖や裾《すそ》が長いが、そこは捲《まく》れば問題ないはず。チョイスもいい感じだ。

「大丈夫。前のよりいい」

それは何より。前着ていた服は廃棄決定です。

「ラダリオンは武器、何が使える？」

「石斧《おの》なら」

あの切れ味皆無の、斧と言うよりはハンマーに近いものな。それならと薪割り用の手斧と刃渡り三十センチくらいのマチェット、細かい作業ができるナイフを持たせせた。

さすがに銃を持たせるのは怖い。拳銃も巨大化したら戦車砲だ。近くに撃ち込まれたら衝撃だけで死ねるわ。

「一旦、外に出てみるか。出たらその場から動くなよ」

潰されたら敵《かな》わんわ。

出ようとしたら二人同時は無理なようで、まずラダリオンを出させ、窓からラダリオンの位置を確認してから外に出た。

「出た位置はそれぞれが入った場所のようだな」

同時に出れないってことは同時に入れないってことか。ちゃんと安全装置的なものがあるのだろう。まあ、わからないのでズレて入るとしよう。金が貯まったら安全に入れるよう設定しなくちゃな。

「ラダリオン。ゴブリンの気配はわかるか？」

「気配はわからないけど、臭いはする。あいつら独特な臭いがするから」

確かに独特な臭いだったな。もしかして、鼻がいいのか？

「他の臭いはどうだ？」

「鹿の臭いがする。あと、小さいものがいくつかあるかな？」

ある程度の大きさのものでもないとわからないってことか？　まあ、鹿がわかるのなら狼もわかるはず。なら、笛を持たせて近づいてきたら鳴らしてもらおう。

「ところで、オレの臭いもわかるのか？」

「わかる。タカトの臭いは独特だから」

臭いとかじゃないよね？　もうそんな年頃なんだから臭いとか言われたら死ぬよ。

「昼までには時間がある。腹が減るまでゴブリンを駆除してきてくれ。たくさん殺せばそれだけ美味いものが食えるんだからな」

「わかった！　いっぱい殺してくる！」

そう叫ぶと、ドスンドスンと森の中に入っていった。

「……巨人に滅ぼされるような世界じゃなくてよかった……」

あんなのと戦うならオレは逃げさせてもらうわ。

「さて。オレは印をつけて回るか」

オレに帰巣本能はない。方向感覚も優れているわけじゃない。こんなだだっ広い森の中で迷ったら方位磁石があったとしても迷う自信があるわ。

「こういうとき、十五日縛りがあるのはキツいな」

マチェットで傷をつけることもするが、やはり目立つもので印をつけたほうが逃げるときに有利だろうよ。

方位磁石を見ながら百メートルくらいのところにピンクのビニール紐《ひも》を括りつけ、所々絡ませながら伸ばしていった。

戻る際はマチェットで傷つけて戻り、別の場所から森に入り、百メートルのところに印をつけた。

「お。さっそく報酬が入った」

どう駆除しているかわからんが、一気に一万五千円が入ったよ。

「巣を潰しているのかな?」

その考えが正しかったようで、数匹分の報酬がどんどん入ってくる。

「で、十四万円か。優秀すぎんだろう!」

オレがこの世界に連れられてこられた意味を失いそうになる数だな……。

理不尽に負けそうになっていると、ドスンドスンと地響きが伝わってきた。敵だったら大洪水を起こしているところだ。

「タカト！　お腹空いた！」

オレの胴くらいある木を倒して現れるラダリオン。怪力ですこと。

「あ、ああ。じゃあ、昼にするか」

「うん、わかった！」

その場でセフティーホームに入った。

◆◆マグロマグロマグロ〜◆◆

昼飯が終わり、食休みしながらどんな駆除法をしたかを尋ねてみた。

「巣を見つけて剣で掘り出して何度も突き刺した」

刃渡り三十センチのマチェットも巨大化したらオレの身長くらいになる。あんな怪力で穴を掘られたら逃げる術なし、だな。

「噛みつかれたりしないか？」

一応、腕には防刃のアームカバーを。脚には脛当てをつけさせた。ゴブリン程度では傷もつけられないだろうけどよ。

「ゴブリンに噛みつかれるほどマヌケじゃない」

巨人界ではゴブリンに噛まれることはマヌケになるようだ。

「穴を掘るならマチェットよりピッケルのほうがいいかもな」

鍬《くわ》のようなピッケルがあったはず。あれなら簡単に掘り出せるだろうよ。

頑丈そうなのを二本買う。この尖《とが》り具合ならグリズリーでも一撃だろう。

「ついでだからペットボトルホルダーも買っておくか」

これからどんどん暖かくなる。水分補給はしっかりしないとな。

「午後からも安全に頼むな」

「うん。夜もいっぱい食べられるくらい殺してくる」

殺る気満々なラダリオン。オレも目印をつけてゴブリン駆除しないとな。

五日かけて四キロ四方に目印をつけることができた。が、出歩き隊がなんか多くなって遭遇率が高くなった。

「さすがに殺気立っているな」

巣ばかり潰しているからオスの憎悪が増している。まあ、こちらとしてはすぐわかるし、怒りに我を忘れて警戒が散漫になってくれている。五メートルまで近づいても気づかれなかったよ。

お陰で駆除数は右肩上がり。今日は午前中で何度弾を補給しに戻ったか。買い置きの弾がなくなる勢いだよ。

「しかし、どんだけいんだよ?」

四本のマガジンを三十分で使い切り、またセフティーホームに入った。

「てか、弾込めが一番手間取るな」

カシャカシャやっていたらラダリオンも入ってきた。あ、昼か。

「お疲れさん。たくさん駆除したみたいだな」

この五日で三百匹は駆除した。もしかしたら一年で三千匹も夢じゃないかもな。

「うん。でも、巣が少なくなってきた。探すの大変」

「そうか。出歩き隊に小さいのがいたし、巣立ちしたのかもな」

子供が大きくなれば巣に籠る必要はなくなる。これからは寝るときくらいかもな、巣に戻るの。

「食べられなくなる？」

悲しそうな顔をするラダリオン。

「大丈夫だよ。これまでの報酬で食っていけるからな。あとは、地道に駆除していけばいいさ」

「ほんと？」

「ほんとほんと。オレは仲間にウソは言わないよ。仮にそうなったらちゃんと言うよ」

まあ、出歩き隊はたくさんいる。今度は払いやすいように槍《やり》でも買うか。

「そう言えば、ラダリオンって魚は食えるか？」

「好き」

まあ、食べたとしても川魚だろうから、とりあえずコ〇トコの寿司《すし》を買ってみた。

「これは寿司って言ってな。この醤油《しょうゆ》につけて食うんだ。気に入らなければ別のを買うよ」

「いい匂い！」

まるで飲み物かのように寿司が消えていく。二分もしないで完食してしまったよ……。

「お代わり！」

まだまだいけそうなので一気に五つ買い、ちらし寿司、海苔巻《のりまき》、二リットルのお茶を一箱買った。

「あたし、これが好き！」

マグロをつかんで突き出してきた。

「じゃあ、夜はマグロ丼を買うか。いろんな部位が載ったヤツはほっぺが落ちるんじゃないかってくらい美味いぞ」

青森《あおもり》の大間《おおま》で食った三色マグロ丼、あれは美味かったな～。

「マグロ丼、食べたい！」

「よし。午後もゴブリン駆除に励むぞ」

「うん！　いっぱい駆除する！」

食べることは生きること。美味いものを食うためにがんばるのもいいだろうよ。

4　ゴブリン王

◆◆千匹突破◆◆

気温は完全に春のものだった。

「さすがに昼は暑すぎるな」

朝晩はまだ寒いが、太陽が出た昼は汗をかくほど暑い。水分補給がかかせないよ。

今日何度目かの水分補給を行い、なくなればセフティーホームに入って新しいのを持ってくる。

ラダリオンをメンバーに加えてから一日三十匹以上を駆除できており、この世界に放り込まれてから千匹は超えたはずだ。

「ざっと計算しても二ヶ月で五百万円は稼げたわけか」

稼いだと喜ぶべきか、数の多さに嘆くべきか、なんとも難しいところである。

「てか、日に日に増えてないか？」

廃村を中心に、半径三キロ内のゴブリンを駆除しているわけだが、一向に減る感じがしない。今日は午後二時の時点で三十匹を超えたよ。もちろん、オレ一人で、だ。

「出歩き隊も増えたな」

察知範囲内に新たな出歩き隊がいくつか入ってきた。この地はエサが豊富なのか？

確かにプラムみたいなものや舞茸《まいたけ》みたいなキノコが大量に生《な》っていた。この分では他にも食えるものが生ってそうだ。

遠くまで行かなくて済むのは助かるが、弾の消費が激しすぎる。弾込めで一時間も取られるよ。

まあ、マガジンローダーなるものを買ってマシにはなったが、それでも弾込めには時間が取られる。このままじゃHK416が壊れると思って、サプレッサーとドットサイトがついたFN－P90を二丁買ってしまったよ。

あの独特なフォルムがツボに入ったんだよ。それに、弾入りのマガジンが七千八百円で売っていた。手間を省けて、七匹も駆除できたら損とも思わないよ。

ってことで、今日はこれにて終了。P90の練習だ。

「タカト、お腹空いた」

おっと。いつの間にかラダリオンが帰ってくる時間になっていたよ。

「今日は何が食べたい」

「ラーメン大盛り全増し！　味玉十個追加で！」

とあるラーメン屋を気に入ったラダリオン。昼も三杯食ってたよ。

「違うのを食えよ」

「美味しいからいいの！　あ、ライスと餃子《ギョーザ》も食べたい！」

ハイハイ、なんでもどうぞ。

注文の品を買ってやり、オレはあっさり中華ラーメンに天津飯《てんしんはん》をつけた。

夕飯が終われば洗濯だ。なんと、セフティーホームに洗濯室を増設したのです。最新のドラム式洗濯機が今日の汚れを落としてくれ、乾燥までしてくれる優れもの。お前と出会えたことに感謝です。

「タカト。新しい下着買って。キツくなった」

「そう言えばお前、なんか大きくなってないか？」

なんか一回りくらい大きくなっている気がする。

「うん。いっぱい食べられるから大きくなった！」

育ったことが嬉しいようで、にこやかに笑っている。

「ラダリオンも女の子なんだから自分で選んでみるか？」

「面倒だからタカトが選んで。あと、ケーキが食べたい」

色気より食い気ですか。まあ、ユニ○ロから適当に選び、買ったらラダリオン用のタンスに仕舞った。

洗濯が終わるまでタブレットでお買い物。あ、この際だから冷蔵庫を買っておくか。その都度買うのも面倒だしな。

大容量のを買い、近くにコンセントを増設した。

「何それ？」

「冷蔵庫ってものだ。一番下は冷凍庫でアイスを入れておくからオヤツに食えな。上にはジュースとかプリンを入れておくから。あと、酒と間違えるなよ」

「わかった。コ〇トコのティラミスも入れておいて」

「はいはい。食べたら歯を磨くんだぞ」

なんだか父親になった気分だよ。

ほとんどラダリオン用になってしまったが、オレはビールとレモンサワーが入っているなら不満はない。明日に残せるような飲み方はできないから十缶くらいでいいだろう。

「明日を考えないで飲める日が来るといいな」

そんな日が来るのを願ってサンドバッグ打ちを開始する。

三十分休むことなく打ち続けると、全身から汗が噴き出してきた。さっき飲んだビールが抜けてしまったよ。

スポーツ飲料を飲んで水分補給。十五分休んだらまた三十分打ち続けた。

「ラダリオン。そろそろ風呂に入って寝ろよ」

もう九時を過ぎている。子供は寝る時間だ。

「わかった」

ラダリオンがシャワーを浴びて出てくる前にグロックのマガジンに弾込めをする。入れられるときに入れておかないといざってときに困るからな。

六本入れる頃にラダリオンが風呂から上がってきた。

最初の頃はカラスの行水だったのに、今ではしっかり浴びてドライヤーで髪を乾かすまでになっている。まあ、相変わらず下着姿だがな……。

「おやすみ」

「ああ、おやすみ」

オレも風呂に入り、ビール一缶飲んで眠りについた。

◆◆山黒◆◆

気温が上昇するとともにゴブリンの数も増えていった。

春先からその兆候はあったが、それが最近になって顕著になってきた。

まあ、駆除する数も増え、確実に千五百匹は超えて、三百三十万円も貯蓄ができた。

「とは言え、これはさすがにヤバいだろう」

まだ十時前で五十四以上。二百発――マガジン四本目の弾がなくなりそうだ。これじゃ一時間毎に補給しに戻らないといかんぞ。

「またか」

歩いてすぐに射程内（三十メートル）に八匹の出歩き隊が入ってきた。ったく。休む暇なしだよ。

P90を構え、四本目に残った弾を吐き出し、撃ち漏らしたものはグロックを抜いて殺してやった。

「補給だ」

なるべく平坦なところを見つけ、セフティーホームに入った。

「ん？　ラダリオンも補給か？」

さらに広くした玄関でへたり込むラダリオン。疲れているのがよくわかった。

「うん。ゴブリンが多くてオヤツが切れた」

ラダリオンは弾じゃなくリュックサックにお菓子を詰めて出ているのだ。

「稼げるのはいいが、さすがにこれはヤバい気がするよ」

オレもへたり込み、置いてあるペットボトルに手を伸ばして水を飲んだ。

「たぶん、山黒に追いやられてこっちに逃げてきたんだと思う」

「山黒？」

なんじゃいそれ？

「大人が数人かかっても倒せないバケモノ。とうちゃんたちも八人で挑んで負けてた」

巨人の大人が八人もいて倒せないとかバケモノを超えて怪獣だろう。なんてもん創り出してんだよ、あのダメ女神は！

「この近くにいるのか？」

「遠くに行ったと思う。こんなにゴブリンが現れたってことは」

それはよかったのか悪かったのか悩ましいところだな……。

「まだ増えると思うか？」

「わからない。かあちゃんが寝物語で言ってた。ゴブリンが多いときは王が立ったかもしれないって」

それ、寝物語で語ることか？　巨人の子はそれを聞くとよく眠れるのか？　オレなら悪夢を見る自信があるぞ。

「この流れからして王が立ったと見るべきだな」

最悪の状況になると思って動くとしよう。

「ラダリオン。外に出たら村に戻れ。王が現れる前に備える」

「わかった」

「オレはゴブリンを駆除しながら戻る。早く戻れたら村の周りの木を根元から伐《き》ってくれ。無理しない程度でいいから」

ラダリオンにすれば手斧で枝を払うようなもの。そう苦ではないだろうよ。

Ｐ９０のマガジンを補給し、弾入りのマガジンを三十本ばかり買って棚に置く。念のためＨＫ４１６も置いておく。

「じゃあ、無理するなよ」

ラダリオンにそう言って外に出た。

すぐに気配を確認。射程内に三隊も入られていた。

「増えすぎだよ！」

近いところから駆除していき、駆除したら廃村に向かった。

なんとか昼前には戻れ、先に戻ったラダリオンが木を伐っていた。

「ラダリオン。昼にしよう」

「わかった」

昼はとある有名レストランのカレーだ。ラダリオンはチャレンジメニューの四キロカレー全部乗せ。オレは普通の大盛りカレーに唐揚げと三種のチーズをトッピングのものにした。

ラダリオンはお代わりをし、食後のデザートはワンホールのカップチョコレートケーキ。見ているだけで胸焼けしそうだ。

食休みしている間にスケッチブックと色ペンをいくつか買い、作戦を書いた。

「ラダリオン。腹は落ち着いたか？」

「うん。腹八分にしておいたから」

ま、まあ、本人がそう言っているのだからそうなんだろう。

食器を片付け、スケッチブックをテーブルの上に置いた。

「ラダリオンには深い穴を掘って欲しい。広くて深いのをだ。そこにゴブリンを落として一気に駆除する」

巨人の力なら自分の背丈以上の穴を掘れるはずだ。

「ラダリオンばかりにさせて悪いが、これはラダリオンにしか頼めない。やってくれるか？」

「やる。任せて。ゴブリンをちまちま潰すよりいい」

確かに小さいゴブリンを潰すのは大変だろうよ。

「掘った土はこんな風に山にして、穴の周りを囲んでくれ。所々にこの筒を斜めに埋めて、ゴブリンが落ちるようにする。木は山が崩れないように埋めてくれ」

スケッチブックに描いて作戦を説明する。

「これが成功すれば最高級の肉で焼肉するんだ。いつも食っている肉の五倍は美味いぞ」

和牛はまだ買ってない。高いから。

「ご、五倍っ⁉」

「ああ。その肉を食ったら他の肉は食えなくなるぞ。ただ、言ったように高い。ゴブリン二十匹でこのくらいしか買えないんだ」

ラダリオンのやる気を出すために誇張して伝える。

「満足するくらい食うには三百、いや、四百匹は駆除する必要があるかもな」

数など知らなかったラダリオンだが、食い物にたとえるとスポンジのように吸収し、夜にグルメ日誌までつけてるくらいだ。

「がんばる！」

うん。この作戦はラダリオンにかかっている。広くて深い穴を掘ってくれたまえ。

こうして大量駆除作戦が開始された。

◆◆準備はできた◆◆

次の日から来たるべき日のために行動する。

穴掘りは完全にラダリオンに任せ、オレは廃村に近づくゴブリンを駆除する。

ゴブリンどもは誰かに指揮されているわけじゃないし、協力し合っている感じもしない。なのに、本能がそうさせるのか、廃村のほうに集まってくるのだ。

このままでは不味《まず》いと、廃村から三キロ離れた場所に処理肉を大量にばら撒いた。

それがよかったのか、処理肉をばら撒いたほうに集まってくれたが、またこちらに集まってきてしまう。

「廃村に引きつけるものがあるのか?」

そう思って調べてみるが、これといったものはない。ラダリオンががんばって掘っているだけであった。

わからんと諦めて三キロ先に処理肉をばら撒きながら駆除に勤《いそ》しんだ。

六日が経ち、穴の深さもラダリオンが隠れるくらいになり、掘った土が三メートルの山となっていた。

「こんな岩、よく上げたものだ」

確実にトンはある岩を上げている。どんだけの筋肉を持っているんだか。殴られたら確実に死ぬな、オレ。

セフティーホームで怒らせないよう心に誓い、あと二メートル掘ったら村を囲むように堀を作ってもらうようお願いした。

「任せて!」

すべてを任せているのに、ラダリオンはとても嬉しそうだ。焼肉がそんなに待ち遠しいのだろうかと思って尋ねたら、そうでもなかった。

「役に立てるのが嬉しい。あたし、役立たずの無駄飯食らいだったから」

いいや、まだ子供なのだから役立たずでも無駄飯食らいでもいいのではないか？　子供はすくすく育つのが仕事なんだからよ。

「タカトはあたしを邪魔と思わないし、いっぱい食べさせてくれる。仕事もくれる。何より、ありがとうって言ってくれるのが嬉しい」

これまでラダリオンの過去など考えたことなかったが、仲間のところでは結構不遇な扱いを受けていたようだ。当たり前なことを喜んでいるんだからな。

「オレのほうがラダリオンに助けられているけどな」

この作戦はラダリオンがいて可能になるもの。それに、誰かいてくれるってのは嬉しいものだ。挫《くじ》けずいられるのはラダリオンがいてくれるからだ。

まあ、面と向かって言うのは恥ずかしいから黙っているが、これからはもっとありがとうって口にしていこう。これからまだまだ助けてもらわなくちゃならないんだからな。

さらに三日。処理肉をばら撒きながら駆除に励んでいると、穴を囲む山がいい感じに盛られ、その上に五メートルの櫓《やぐら》ができていた。

「お前、天才だな」

ちまちましたことは嫌いと言っていたのに、こんな頑丈そうな櫓を作ってしまうんだからな。

「自分でもびっくりした」

まんざらでもない顔をするラダリオン。会心の出来のようだ。

「あとの細かいことはオレがやる。ラダリオンは離れたところでゴブリンを引きつけてくれ」

「わかった」

素直に頷《うなず》くラダリオン。これも夜にミーティングしている成果だろうな。

まずは村を囲む堀に灯油が入ったポリタンクを等間隔に並べていき、ラダリオンが割ってくれた薪を放り込んでいく。

これだけで二日かかり、もうクタクタである。だが、休んでいる暇はない。櫓の周りをコンパネで囲み、有刺鉄線で巻きつけた。

「百万円を超えたか」

灯油だけで五十万円以上かかり、有刺鉄線、単管パイプ、それを繋ぐクランプで三十万円。まだ買うものがあるから二百万円は確実に超えるだろうよ。

「いや、銃や弾も買うから三百万円はいくな」

準備が終わったとき、百万円も残っていれば御の字だろうよ。

「まったく、稼いでは減らしの繰り返しだな」

プラスになっているから挫けずにいられるが、これでゴブリンが来ませんでは立ち直れないくらい心が折れるだろうよ。

まあ、何はともあれ迎え撃つ準備はできたんだからよしとしよう。

セフティーホームに入り、戻っていたラダリオンに状況を聞いた。

「どんどん集まっている。あと、木の槍を持ったゴブリンが何匹もいた。たぶん、王が近づいているんだと思う。王が立つと武器を持つゴブリンが多くなるってかーちゃんが言ってた」

ゴブリン、想像するより賢いのか？

「まあ、木の槍くらいなら――いや、危険か」

一応、見張り台のところにコンパネを打ちつけておこう。木の槍なら充分防いでくれるだろう。

強化したり武器を買ったりと忙しくしていると、とんでもない量の気配を感じ取ってしまった。

「……数百ってレベルじゃねーぞ……」

察知範囲から出ているのに、圧されるような気配がこちらに向かっているのがわかった。

「王が立つとこんなことになんのかよ！　一人や二人でどうこうできるレベルじゃねーだろう！」

少なくとも千はいる。数の暴力とはこのことだ。

「ハァー。こりゃ、全財産失う羽目になりそうだ」

まっ、それで生き残れるならマシか。また地道に稼いでいけばいいさ。

「フフ。ポジティブになれてんな、オレ」

自棄《やけ》になっているのかもしれないが、それならそれで構わない。こうして落ち着いていられるんだからな。

セフティーホームに入ると、ラダリオンも入っていた。

「タカト。凄い数の臭いがこっちに向かってくる」

「ああ、とうとう来たようだな」

不安そうなラダリオンに笑ってみせる。

「大丈夫。考えられる限りの用意はしたし、万が一のときのことも考えてある。ラダリオンは自分の出番まで武器の練習をしていろ。食事は冷蔵庫にあるもので我慢してくれな」

頭を撫《な》でて言い聞かせた。

「死なない？」

「死なないよ」

最悪、セフティーホームに逃げ込めばいいんだからな。

「弾込め頼むぞ」

櫓の見張り台は二畳もなく、すべての武器弾薬を置くことはできない。ちょくちょく戻らないとダメなのだ。

「うん、わかった」

行ってくると告げ、武器弾薬を外に運び出した。

◆◆ゴブリン王◆◆

ゴブリンほいほいの穴に一キロ五百円のドライアイスを次々と放り込む。

最初は灯油をと思ったんだが、火が上がるとゴブリンに気づかれてしまうし、何より灯油代がバカにならない。そこで思い出したのだ。昔、会社でドライアイスで起きた二酸化炭素中毒の事故を。

幸い、死者は出なかったが、後遺症は出て、寝たきりになってしまったと聞いた。

ドライアイスをどれだけ入れたら致死量になるかはわからないが、五十キロもぶっ込めば行動を失わせることはできるだろう。深さも八メートルはある。埋まることはないだろうよ。

「入れるのも一苦労だわ」

スポーツ飲料を飲んで一休み。あと、糖分も摂取しておこう。長い戦いになるだろうからな。

「一キロのところまで来たか」

ゴブリンの大軍団はゆっくりとこちらに向かっている。なんのエサもばら撒いていないのにな。

心臓は高鳴っているが、それほど恐怖は湧《わ》いてこない。いや、恐怖のあまり感覚がマヒしているのかもな。

M4カービンを一丁抱え、やってくる大軍団の気配を探った。

気配が集まりすぎて個体の気配がわからないが、一つだけ濃い気配は感じ取れた。

恐らく、こいつが王なんだろう。これまで感じてきた気配の中で一番強かった。

「王だろうと赤ん坊だろうとゴブリンはゴブリン。一匹勘定、か。王はボーナスステージにして欲しかったよ……」

まっ、いきなり王の特攻！　とかならラダリオンに抱えてもらって逃げているところだが、この気配からして配下に特攻をかけさせて、美味しい状況になったら出てくる、ってところだろう。

なら、問題はない。より多く集まってくるがよい。オレの糧にしてやるよ。

「やるか」

梯子《はしご》を使って櫓から下り、堀に置いたガソリンタンクをつかみ、中に入ったガソリンを撒いて火をつけた。

ファイヤーウォールは虚仮威《こけおど》しであり、ゴブリンを集めるまでの時間稼ぎ。これで防げるとは思っていないさ。

ガソリンを撒きながら廃村を一周すると、ちょうどよく先遣隊がやってきた。

燃え盛る炎の向こうに現れたゴブリンども。まさに飛んで火に入る夏の虫だな。いや、まだ飛び込んでないけどさ。

M4を構え、連射でゴブリンどもを薙《な》ぎ払ってやった。

「アハハ！　怒れ怒れ！　我を忘れるくらい怒りやがれ！」

持っているマガジンが尽きたらグロック17を抜いて、弾が尽きるまで撃ってやった。

「オマケだ」

手榴弾を全力投球して櫓に登った。

見張り台に登ったら梯子をセフティーホームに仕舞う。梯子もバカにならない値段だからな。使い捨てにはできんよ。

「ラダリオン。ゴブリンが来た。やるぞ！」

「わかった」

サムズアップして外に出て、ファイヤーウォールの向こうで騒ぐゴブリンどもに鉛弾をくれてやった。

マガジン四本撃ったら別のＭ４を使う。連射で撃っていると銃身がドンドン熱くなってくる。なんか燃えそうな勢いなので、マガジン四本撃ったら交換するようにしたのだ。ちなみに三丁買いました。捨てても構わない安いのをね。

少しずつファイヤーウォールが弱まってきているのがわかったのか、木々の間から姿を現してきた。

「一向に減らんな！」

確実に二百匹は駆除しているのに、廃村を囲むほどゴブリンで溢《あふ》れている。千匹どころか二千匹いても驚かないぞ。

右に左にと撃ち続け、用意したマガジンが尽きそうである。

バケツに入れた空マガジンを持ってセフティーホームに入った。

「そろそろ火が消える。火炎瓶をもっと作っておいてくれ」

「わかった」

作業鞄《かばん》に入ったマガジンと火炎瓶をつかんで外に出る。

「さらに増したな！」

ファイヤーウォールは消えそうなのに、ゴブリンどものボルテージは逆に燃え上がっていた。

Ｍ４がまだ冷めてないのでＨＫ４１６で撃つ。これは三十万もしたのだから雑には使えない。マガジン二本撃ったらP90に持ち換えた。

二千発の弾が一時間もしないで尽きるとか、違った意味で胃が痛くなってくるよ。

またセフティーホームに入り、ラダリオンが込めてくれた分を作業鞄に詰めた。

「さあ、ここからが本番だ」

「死なないでね」

「ああ、死なないよ」

なんかのフラグを立てた気もしないではないが、やっと前哨戦が終わったまで。これからが本番。まだ恐れる必要はない。

外に出ると、ファイヤーウォールは完全に消えていた。

「へー。砂をかける知恵があるんだ」

炭化した木に土をかけるゴブリンども。王が指示でも出しているんだろうか？

土をかけ終わると、ゴブリンどもの気配が殺気に変わった。

いや、最初から殺気立っていたが、すべての殺気がオレに向けられたのだ。

木々の間から通常のゴブリンの三、四倍の体格と、錆《さ》びた剣を持つゴブリンが出てきた。

……こいつが王か……。

「フフ。さあ、第二ラウンドといこうか」

ゴブリン王が剣でオレを指し、かかれとばかりに叫んだ。

◆◆第二ラウンド◆◆

ゴブリンどもが怒涛《どとう》のように襲ってきた。

アハハ！　ゴミのようだ！　なんて、のたまう余裕はないが、冷静に状況は見れてはいた。

深呼吸を一回して火炎瓶に手を伸ばし、ライターで布に火をつけて投げた。

怒りで火を恐れなかったが、わざわざ火に飛び込むほど我を忘れてはいないようだ。ちゃんと避《よ》けているよ。

廃村を囲むように土を盛ったが、十数個の塩ビ管を埋めてある。

これはネズミ捕りの動画を観て思いついた作戦だ。

まあ、ゴブリンがネズミと同じ習性を持っているかは知らないが、穴に入ることを恐れたりしないのは今までの経験で学んだ。通れそうな穴があれば入ると踏んだのだ。

念のため、塩ビ管の中には処理肉を入れてある。飢えてもいるだろうから絶対に入るはずだ。ほら、入った！

ゴミのように落ちるゴブリンどもをいつまでも眺めてはいられない。新たな火炎瓶を投げて櫓に近づけないようにした。

回り込もうとしたゴブリンもいるが、有刺鉄線で自らを傷つけているよ。ザマー！

「お前らの阿鼻叫喚《あびきょうかん》はこれからだよ！」

手榴弾のピンを抜いて密集しているところに投げ込んでやる。

本当はグレネードランチャーをバンバン撃ってやろうかと思ったが、三十メートルくらいの距離なら投げたほうが早い。それに、買い溜めしていた手榴弾が四十個ばかり残ってたし。

十五日縛りはセフティーホーム内でも適用されており、触らないでいると消えてしまうのだ。

ゴミ屋敷にならなくていいが、備蓄できないのが難点だ。忘れて消えてしまうくらいなら使ったほうがいいとグレネードランチャーは諦めたのだ。

次々と投げ込み、百匹以上を駆除してやった。

さすがに近づいたら不味いと悟ったようで、堀の向こうまで下がり、木々の間に隠れてしまった。

振り返れば穴の半分くらいまで埋まっており、二百万円くらいプラスされていた。

「ざっと四百匹は入ったか？」

それでも塩ビ管を通ったり、山を越えたりして穴に落ちている。もう二酸化炭素中毒じゃなくて圧死だな。

「今のうちに補給しておくか」

セフティーホームに入り、十八リットルの灯油を十個買って見張り台に運び出し、ラダリオンが追加で弾込めしたマガジンを数十本もらった。

外に出ると、穴は八分まで埋まっており、落ちるゴブリンもまばらになっていた。

「あんな死に方はしたくないものだ」

いや、やったお前が言うな、だな。アハハ。

ポリタンクを投げ込む。まだ燃やしはしない。煙がこっちに来たら嫌だからな。

襲撃は停滞に入り、木々から顔を出すゴブリンを狙撃していく。

今はゴブリンの気配に向けて撃っているからスコープとかはつけていない。まあ、スコープをつけたからって当てる自信はないがな。

これも練習と、当てられそうなのを狙って殺していく。

「暗くなってきたな」

大体九時くらいから始め、今は六時くらい。九時間は戦っていたってことか。あっと言う間だったよ。

「金額からして六百匹は駆除したな」

それでもゴブリンは廃村を囲んでいる。

「夜の準備をするか」

ゴブリンも姿を見せなくなった。今のうちだ。

「タカト、終わった？」

「いや、まだだ。まだ千匹以上が廃村を囲んでいるよ」

第二ラウンド終了。第三ラウンドが始まるまでのインターバルだ。

「腹が減っただろう。今日は寿司にしておくか」

皿盛りを五つ買い、十貫食べて用意を始めた。食いすぎると眠くなるからな。

ポータブルバッテリーを二つに投光器を四つ、ガソリンと空瓶、手動ポンプ、布、そして、マガジンを持って外に出した。

「ラダリオン。お前はしっかり食ってしっかり眠るんだぞ。後始末はラダリオンの役目なんだからな」

ブラック企業で三徹が当たり前、ってところで働いているわけじゃない。昼間働いて夜眠っていたホワイト工場作業員。朝まで起きていられるか自信がないよ。

だから、最終ラウンドはラダリオンに任せる。そのためにもラダリオンには元気でいてもらわないと困るんだよ。

「わかった。気をつけて」

「任せろ」

笑って外に出た。

「ん？　下にいるな」

ゴブリンの気配を下からいくつも感じた。セフティーホームに入っている間に近づかれたか。

グロック17を抜いて下にいるゴブリンを撃ってやる。

「オレ、あんまり上手くないな」

人生の大半を銃なしで生きてきたとは言え、この三ヶ月近く毎日のように銃を撃ってきた。なのに、半分も殺せなかった。要練習だな。

投光器を四方に設置し、ポータブルバッテリーに繋いで辺りを照らしたら、ゴブリンどもが逃げ出した。

「ゴキブリか」

まあ、オレからしたら同じものだけどな。

「さあ、第三ラウンドが始まるまで準備するか」

周囲に向けて弾を放ってから火炎瓶作りを始めた。

◆◆第三ラウンド◆◆

「ん？　なんだ？」

空瓶にガソリンを入れてたらゴブリンどもが吠《ほ》え出した。威嚇《いかく》か？

「んおっ!?　石を投げてきたのか。強肩だな」

コンパネを補強しててよかった。てか、どんなフォームで投げてんだ？

投光器を向けてみると、腕の長いゴブリンが石を投げていた。

「……あんなのまでいるのかよ……」

一種類だけとは思っていなかったが、同一地域に複数いるとは思わなかった。よくケンカせずにいられるもんだ。王が従えているからか？

手長ゴブリンは強肩だけじゃなくコントロールもいい。着実に櫓に当ててきているよ。

まだガソリン入れが終わってないが、うるさいのでＭ４で黙らせてやる。

単発で三十発を撃ち切ったら火炎瓶を投げてやる。もう少し静かにしてろや！

なんてこっちの願いなど届かない。ギャーギャー騒いでいる。近所迷惑だぞ！

外していたイヤーマフをつけ直してガソリン入れを再開させた。

十七本に入れ終わり、まだ騒いでいるゴブリンどもをＭ４で黙らせる。

「もう八時は過ぎてんのに元気なヤツらだよ」

穴もほぼ満杯で、逃げ出すものまでいる。適当にグロック17を撃っておく。煽《あお》るためにな。

「しっかし、これだけ殺しているのによく逃げないものだ」

軍隊ならとっくに敗《ま》けを認めて撤退しているぞ。そこまで駆り立てるものってなんだよ？

「まあ、こちらとしては助か――うおっ！　なんだ!?」

投光器が二つ、消えてしまった。あ、バッテリーが切れたのか。びっくりさせんなや！

「クソ。ケチらずもっと大容量を買うんだったぜ」

夜まで持てばいいと二万円ぐらいのを買ったが、次買うときは十万円くらいのを買おうっと。

「また騒ぎ出したか」

明かりが消えたことでこちらを追い込んだと思ったのだろう。木々の間から出てきて威嚇し始めたので、そんなアホを撃ち殺してやった。

そうこうしている間に次のポータブルバッテリーも切れてしまった。

「やれやれ。安物買いの銭失いだな」

完全に暗くなり、こちらが困窮《こんきゅう》したと踏んで次々と木々の間から出てきた。

火炎瓶を周辺に投げ放ち、Ｍ４でゴブリンどもを駆除してやる。

そして、とうとうマガジンが尽きてしまった。

「ありがとな。十二分に役に立ってくれたよ」

まだ使えそうだが、手入れを考えたら買ったほうが早い。こんな状況、そうそうあるわけないいんだからな。あったら全力ダッシュでさようなら〜、だ。

感謝とともにM4をすべて放り投げ、P90で近づいてくるゴブリンを撃っていき、弾が切れたらグロック17を抜いた。

「おーおー集まってくる集まってくる。もっと集まれ、害獣どもが！」

また木々の間から飛び出してくるゴブリンどもを撃ち殺してやる。が、まったく止まることがない。狂乱したかのように迫ってきた。

「第三ラウンドも終了だな」

残していた最後の火炎瓶に火をつけ、櫓の下に放り投げた。

別に自決しようとしているわけじゃない。櫓の下には五十キロのガスタンクを六本置いてあり、その周りは薪やスチールタワシで埋め尽くしてある。あ、空薬莢《やっきょう》も混ざっているな。撃った分の空薬莢が、よ。

本当はダイナマイトをと思ったのだが、とても買えた品物ではなかった。一本二万三千円とか高いわ。

空マガジンを作業鞄に詰め込み、残っているガソリンを見張り台にばら撒いた。

「上手く爆発しますように」

そう願ってセフティーホームに入った。

装備を脱ぎ捨て、窓から外の様子を窺う。

セフティーホームに入った位置は完全に火が回り、そして、炎で染められてしまった。

「……外はとんでもないことになってそうだ……」

ちゃんと爆発してくれたようで、タブレットを見れば報酬がとんでもないことになっていた。

その場にへたりこみ、用意してあったジョニ黒に手を伸ばし、ゴクゴクと飲み干した。

「……疲れた……」

第三ラウンドはあっけなく終わったが、やったことは最終回レベル。めでたしめでたしで終わって欲しいぜ。

大の字で寝っ転び、深いため息をついた。

「あれで王が死んでくれるといいんだがな」

ゴブリン一匹勘定なので死んだかどうかは報酬ではわからない。もっとわかるようにしてくれよな。

「あービール飲みてーなー！」

ウイスキーもいいが、やはりビールで乾杯したいぜ。

まあ、いっか。それは最終ラウンドが終わってからだ。

ラダリオンにはショットガン――モスバーグ590を渡した。

弾は鳥撃ち用のだが、巨人サイズならゴブリン王でも倒せるだろうよ。

「四、五倍に巨大化したショットガンに殺されるか。哀れ……とも思わねーな。苦しみながら挽《ひ》き肉になれ、だ」

そして、オレの糧になれだ。

◇◇最終ラウンド　ラダリオン◇◇

お腹が空いて目覚めた。

……昨日、あんまり食べられなかったからな……。

タカトと出会ってから毎日お腹いっぱい食べれるようになり、自然に目覚めれるようになった。けど、昨日はタカトが心配でいつもの半分しか食べられなかった。

「そうだ、タカト！」

マットレスから起き上がり、玄関に行くと手足を伸ばして眠っていた。

「……よかった……」

思わずタカトに飛びつきそうになったけど、慌てて自分を止めた。小さくなったとは言え、あたしは巨人。人とは体の作りが違う。タカトが言うには巨体を支えるために筋肉のつきが人の何倍も濃いんだろうって。

よくわからないけど、タカトが持てないようなものを持て、タカトより小さいあたしのほうが重い。人間とは違うってことはわかった。

だから手加減しないとタカトを潰してしまう。触るときは注意しないとダメなのだ。

「タカト」

優しく揺らすが、起きる気配はなかった。

ここでは体が痛くなるだろうと持ち上げ、マットレスに運んだ。

……タカトは相変わらずいい匂いがするな……。

今は汗をかいているけど、マーダ族の大人たちからしたら花のような匂いだ。あたし、この匂いが好きだ。

なんて嗅いでいる場合じゃなかった。タカトががんばったあとはあたしががんばらないといけないんだった。

冷蔵庫からケーキとオレンジジュースを出し、買い置きしてある食パンにジャムをたっぷりつけて食べ、残ってるバナナとリンゴを食べた。すべて完食したらアイスで食休みする。

親と一緒にいたときはお腹いっぱいなんて食べられず、いつもお腹を鳴らしてばかりいた。子供だからとちょっとしかもらえなかった。

でも、タカトといるとお腹いっぱい食べられる。どんなに食べても怒られない。それどころか食べ切れないほど出してくれる。まさか、食べ切れず残す日が来るとは思わなかった。

けど、それにはゴブリンを殺す必要がある。

タカトのためにもあたしのためにもゴブリンをたくさん殺さなくちゃならない。これからはお腹をいっぱいにするために食べるんじゃなく、いっぱい殺すためにたくさん食べなくちゃならないんだ。

　とは言え、お腹いっぱいにすると動くのが大変。腹八分にして準備に取りかかった。

　駆除用の服は何度も着たからすぐに着られ、武器を装備する。

　背中にはマチェット。右手にはM590。弾は腰の袋に。熊よけスプレーを二本。防毒マスクにイヤーマフ。そして、消火器二つを抱えた。

　大丈夫。使い方は覚えた。練習もした。あたしはやれる。

　そう何度も心の中で呟《つぶや》き、自分を鼓舞した。

　窓から外を見る。

　太陽はとっくに出ており、近くにゴブリンの姿はない。よしと外に出た。

「すっごく臭い」

　火薬の臭いとゴブリンが焼けた臭い。タカトが防毒マスクをしろって言ったのがよくわかる。直接嗅いだら吐いていたところだ。

　この臭いでゴブリンの位置はわからないけど、問題はない。動いているゴブリンはすべて撃て。潰せ。薙ぎ払え、だ。

「燃えてはいないな」

　タカトが火を爆発させるから山火事になるかもしれないと言ってたけど、火が上がっているのは見えない。あ、廃村のほうから煙が上がっているのが見えた。

「あ、ゴブリン！」

廃村に向かっていると、火傷《やけど》したゴブリンが出てきたので消火器で潰す。

「……いっぱい死んでる……」

数え切れないほどのゴブリンが死んでいる。あ、ゴブリン踏んじゃった！　汚っ！

小さい頃はゴブリンを潰して遊んだものだけど、タカトと暮らすようになってから清潔になり、綺麗にしていたらゴブリンを触れなくなってしまった。

「そう考えると銃っていいかも」

うるさいのが困りものだけど、ちょこまか動くゴブリンを殺すには最適だ。返り血もかからないし。

マチェットを抜いてゴブリンを払いながら進んでいると、他のゴブリンより大きいゴブリンを発見した。

「これが王？」

よくわからないけど、あたしの腰まである大きさだからこれで間違いないだろう。

「あ、生きてる」

マチェットで仰向《あおむ》けにしたら動いた。さすが王。生命力が強い。

少し離れてM590を構え、引き金を引いた。

「……呆気《あっけ》ない……」

ゴブリン王ともなればマーダ族の大人にでも勝てる強さがある。昔のあたしならあっさり殺されていただろう。タカトが弱らせず、銃がなければこうもあっさり殺すことはできなかったはずだ。

「ん？　生き残り？」

木々の間にゴブリンが見え、あたしと目が合うなり逃げ出してしまった。

「昼までまだあるし、タカトが起きるまで殺すか」

M590に弾を込め、生き残るゴブリンを探しに向かった。

◆◆残敵掃討◆◆

目が覚めたらマットレスの上にいた。

あれ？　え？　いつの間に移動した？　夢遊病か？

「いや、ラダリオンが運んでくれたのか」

頭が覚醒していき、至極もっともな考えに至った。ラダリオン、いい子。

何時だ？　って、わからんか。この世界は地球時間じゃない。一日の長さも違うだろうよ。

「あ、時計を追加すればいっか」

この世界に合わせた時計を！　と思いながら壁にデジタル時計を追加した。正しいとかは気にしない。大体の時間がわかればいいんだからな。

あまり深くは考えず、ユニットバスに向かってシャワーを浴びた。

完全に目を覚ましたらビールで活を入れる。クー！　美味い！

二本目は……止めておこう。外ではラダリオンが駆除に勤しんでいる。これからオレも残敵掃討しなくちゃならないんだからな。

タブレットを見ると、四百五十万円。百万円くらいは残っていたから……七百匹は倒したようだ。

「結構倒したと思ったんだが、そうでもなかったな」

まあ、生き残れたのだからよしとしよう。

「ラダリオン、ショットガンの扱いに慣れてきたみたいだな」

数分毎に報酬が入ってくる。生き残りが多そうだ。

「巨大化したショットガンから撃ち出される弾とか、ゴブリンにはオーバーキルだな」

まあ、一発三十円。惜しくはないのだからどんどん撃て、だ。

「オレもショットガン買ってみるか」

HK416やP90は手入れしないといけないし、代わりを買おうとは思っていた。もう大軍で襲ってこないだろうからショットガンでいいやろ。

ラダリオンにはモスバーグってショットガンを渡したが、オレはベネリM4ってショットガンを買うとしよう。セミオートで、いちいちガシャポンガシャポンしなくていいしな。

安いので五万円くらいだからグロック17を買うのと同じ。試しに買ってみよう。

新たにベルトとポーチを買い、そこに三十発くらい詰め込んだ。

「じゃらじゃらするが、動くのにそう問題はないだろう」

グロック17も相当撃ったし、グロック19とショルダーホルスターを買うとしよう。

マチェットや細かいものを装備したら玄関に向かい、外を見る。

「ラダリオンはまだ来てないか」

入った場所が地上から四メートルくらいなとこ。ラダリオンが受け止めてくれないと死んでしまうのだよ。

「結構吹き飛んだな」

ガスタンクでどこまで吹き飛ばせるかわからなかったが、なかなかどうして酷いことになっている。場所を選ぶ戦法だな。

「火は回っていないようで何よりだ」

しばらく待っていると、ラダリオンがやってきた。相変わらずラダリオンの腹時計は正確だよ。

朝昼晩と決まった時間に腹の虫が鳴くようで、オレより規則正しい生活を送っているよ。

ラダリオンが櫓のところまで来たらベッドボトルを外に捨てる。気がついたラダリオンが、手のひらを合わせてから外に出た。

ちょっと高さが違ってヒヤッとしたが、ちゃんとラダリオンが受け止めてくれた。ほっ。

「ご苦労さん。生き残りが結構いるみたいだな」

「うん。火傷してるのが結構いた」

下ろしてもらってゴブリンの気配を探ると、まだ近いところに結構いる感じだ。

「腹減っただろう。何が食べたい？」

「焼肉やるの？」

「それは夜だな。まだ生き残りがたくさんいるしな。今のうちに駆除をやっちゃおう」

ただ殺すだけの簡単なお仕事。回復して逃げられる前に殺しておきましょう、だ。

セフティーホームに入り、ラダリオンに昼飯を用意してやる。オレはまだ寝起きだから何も食べたくないよ。

……ビールはノーカンでお願いします……。

「ラダリオンは食ってろ。オレは駆除してくるから」

そう言って外に出て瀕死のゴブリンを殺していると、なんかデカいゴブリンが死んでいた。

「これが王か」

何を食ったらここまで育つんだろうな？

まっ、死んだゴブリンに興味なし。くたばり損ないの死に損ないを殺すとしましょうかね。

◆◆冒険者？◆◆

「……焼肉、美味しかった……」

残敵掃討も終わり、約束していた高級焼肉パーティーも終わった。

その後一日休み、今日から気持ちを切り替えて駆除を、と思ったのだが、ラダリオンはまだ高級和牛の味にとらわれていた。

「ほら、しっかりしろ」

外に出ているので、巨人になったラダリオンの足をガンガン蹴ってやる。こちらが痛くなるほど蹴らないと気づいてくれないんだよ。

「あ、うん。わかった」

「穴埋め頼むな」

ラダリオンが掘ってくれた穴には五百匹は入っており、そのまま放置したらまたあのバケモノを呼び寄せてしまうかもしれない。なので、石灰撒いてラダリオンに埋めてもらうのだ。

「わかった」

「オレは新たな拠点探しとゴブリン駆除に行ってくるよ」

とりあえず、察知範囲内ギリギリにいる群れのほうへ向かってみる。

「あれだけ倒したのにまだいるんかい」

歩けば歩くほどゴブリンの気配が増えてくる。まさかダメ女神が追加してんじゃないだろうな？

ベネリM4でゴブリンを撃ちながらそんなことを考える。

「やはりショットガンは五匹までの銃だな」

いや、アサルトライフルや拳銃でも似たようなものか。やはり機関銃を買っておくべきだな。

百万以上するが、今なら一丁は買える。今日の夜に検討してみるか。

「ん？　え？　ひ、人か!?」

突然人の死骸が現れて飛び退《の》いてしまった。

ほぼ食われていたが、残ったものから人なのはわかった。

なんか込み上げてくるものに視線を逸《そ》らした。

……吐き気があるということは完全に人だ……。

ゴブリンの挽き肉を見てもなんとも思わなかったのに、これを見たら吐き気を催した。

「……埋めてやるか……」

このまま野晒《のざら》しも可哀想だ。埋めてやるとしよう。

セフティーホームからスコップを持ってきて死体に土をかけてやった。

「昼は食えなさそうだ」

何か食ったら絶対に吐く。ちょっとウイスキーを飲んでおこうと、スキットルを出して半分くらい飲んだ。

「しかし、なんで人間の死体が？」

ラダリオンの話では周辺に人は住んでおらず、巨人の足でも五日は歩かないと町はないそうだ。

ちなみにこの地は辺境であり、あの廃村は町と町を繋ぐオアシス的な村のようだ。昔、ゴブリンに襲われて滅んだそうだ。

「とんでもないところに放り出してくれたもんだよ」

もっとこう、始まりの町的な感じのところに放り出して欲しかった。馬車を襲う盗賊……がいたら見なかったことにしているな。オレ、そこまで蛮族じゃないし。

辺りを探ると、剣や荷物が落ちていた。冒険者だったのか？

「いるとは言ってたが、こんなところに何しに来たんだ？」

散らばったものを集めると、剣が二本。弓矢が一セット。斧が一本。背負うタイプのバッグが二つ。ボロボロな装備からは大小様々な貨幣。ベルトの隠し縫い？　からは十円玉くらいの金貨が三枚出てきた。

「斥候かな？」

よくよく探してみると、他にも遺体が三つあった。

「ゴブリンを探りに来たのか？」

ゴブリンに滅ぼされた村なのだから、何か前兆を感じて冒険者を調査に出した、って感じだろうか？

まあ、真実を確かめる術はないのだからゴブリン駆除を続けるとしよう。

遺体の装備はセフティーホームに運び込む。いつか町に行ったときに小道具として使わせてもらうとしよう。

土をかけてやり、棒を刺して拝んでおく。南無南無。

「ん？　ゴブリンの群れか？」

何か興奮している気配を感じ取った。二十匹はいそうだな。

「死体を貪っているのか？」

正直避けたいが、警戒が散漫な状態で二十匹が固まってくれているのである。こんな美味しいのは逃せせんだろう。

なんて向かったらゴブリンが続々と増えている。いや、五十匹は集まりすぎ！

ベネリＭ４では無理とセフティーホームに入り、Ｐ９０とマガジンを一本持ってきた。

百メートルまで近づいたら警戒して進むと、ゴブリンが見えてきた。

なんか上を見てギーギー騒いでいる。

何がいるんだと見たら、枝の上にエルフがいた。マジか⁉

◆◆エルフ◆◆

なんて驚いている場合じゃない。ゴブリンを駆除せねば。

距離を三十メートルまで詰め、より多く殺せる位置に移動。Ｐ９０を構えて引き金を引いた。

五十発があっと言う間になくなり、木の陰に隠れてマガジン交換。飛び出して薙ぎ払ってやった。

死んだのは恐らく二十匹くらい。集まりすぎて倒し切れないか。

Ｐ９０を捨て、背中に回していたベネリＭ４をつかみ、四発撃って二発補給。また四発撃って二発補給。ゴブリンがパニックになっている間に弾を補給した。

構えながら気配を探ると、散り散りに逃げ出していた。

「ったく。逃げ足の速いヤツらだよ」

まあ、襲いかかってこられたら困るけどな。まだ一対一でも相手したくないし。

ベネリＭ４からマチェットに換えて瀕死のゴブリンをシメていった。

「マチェットも買い替え時だな」

　この世界に放り出されたときから使っているもので、ちゃんと砥石《といし》をかけていたが、さすがに何百回と斬っているから刃欠けも凄い。折れる前に新調しておこう。

　木で血糊《ちのり》を拭いたら木の上にいるエルフに目を向けた。

　しかし、美人なエルフだ。体は貧――スレンダーだけど。

「大丈夫ですか？」

　言葉は通じるはずだ。ラダリオンとも普通に話せたんだからな。

「…………」

　茫然《ぼうぜん》自失《じしつ》で反応がない。まあ、無理もないか。オレなら大洪水の土砂崩れを起こしているところだろうよ。

「我を取り戻したらさっさと帰ったほうがいいですよ。これあげますんで」

　近くの木にマチェットを振り下ろした。

「気をつけて」

　別にエルフ萌《も》えではないいし、仲良くなりたいとも思わない。そんな甘酸っぱい考えができるほどファンタジーに傾向してないしな。

　その手の漫画は読むほうだが、オタクになるほど夢中にはなってない。オレはどちらかと言えば日常系が好きなのだ。

「――待ってくれ！」

ん？　え？　野郎声？　はぁ？　男なの⁉　女顔じゃん‼　なんか騙《だま》された！

今度はこちらが茫然としている間に木を下りてきた。

「た、助かった。感謝する」

「気にしなくていいですよ。オレは孝人。ゴブリン駆除を生業《なりわい》としています」

勇者とかは望んでないが、もうちょっとカッコいい肩書きが欲しかった。あ、ゴブリンスレイヤーは却下です。悲惨な人生になりそうなので。

「わたしは、ミシニー。冒険者だ」

やっぱり冒険者か。顔だけ見れば美女なんだがな……。

「一人なんですか？」

「いや、五人の仲間と来たが、大量のゴブリンに襲われてはぐれてしまった」

五人か。先ほどの死体か？　数が合わないのは逃げられたのかな？

「先ほど、何体かの遺体を見ました」

「恐らく仲間だろう……」

改めてご冥福をお祈りします。

「一応、土をかけておきました。ほとんど食われて判別はつきませんでしたが」

「そうか。感謝する」

「構いませんよ。ただ土をかけただけですからね。それより、場所を変えましょう。またゴブリンが集まってきました」

またどこからかゴブリンが流れてきている。仲間の血に誘われたか？

「わかった」

すぐにマチェットをつかみ、オレのあとについてきた。

「ミシニーさんは、冒険者稼業は長いんですか？」

見た目は二十歳くらいだが、エルフなら百歳と言われても不思議じゃない。

「ミシニーで構わない。それに、言葉も雑でいい。そんな畏《かしこ》まられても体が痒《かゆ》くなるだけだ」

中身は冒険野郎のようだ。

「じゃあ、そうさせてもらうよ」

郷に入れば郷に従え。それで関係がスムーズになるなら合わせるまでだ。

「タカトは一人で行動しているのか？」

「今は一人だが、相棒はゴブリンを埋めているよ。大量に駆除したから死体処理さ」

「そうか。しかし、凄い武器を使っているな。あっと言う間だったじゃないか」

情報収集かな？　核心をズバリと突いてくる。

「ゴブリン相手ではな。大きい魔物には力不足だ。それに、とても金のかかる武器だし、矢となるものがたくさん持てない。正直、剣が使えるなら剣で駆除したいよ」

これは正直な気持ちだ。一日三匹も駆除できたら余裕で暮らせるわ。

「オレ単独ではゴブリン一匹を相手するのが精々だ。この武器だからこそ生きられているんだよ」

ミシニーを止め、体を低くさせた。

「ゴブリンの群れが来る。あっちから八匹。そっちからは六匹。背後からは十四匹だ」

確実にオレらに気がついて迫ってきている。なんでわかるんだ？

「ミシニー。何かゴブリンに気づかれるものを持っているか？　こちらの位置を勘づいている感じだ」

オレが持っていなければミシニーってことになる。

「恐らくわたしの血の臭いを追ってきているんだろう。ゴブリンはエルフの血を好むからな」

それでよくゴブリンがいるところに来たものだ。食ってくださいって言っているようなもんだろう。

「魔力さえあればゴブリンの百や二百、問題ではないんだが、運の悪いことにオーグの群れに襲われてな、魔力が回復する前にゴブリンの群れに襲われたのさ。もう魔矢すら撃つこともできないよ」

ゴブリンの百や二百、問題ないんだ。それでいてオーグとやらには苦戦するんだ。怖すぎんだろう。

「まあ、剣は振るえるから安心してくれ。あ、水をもらえるか？」

なんか男前。とか思いながらペットボトルの蓋を外して渡した。

「ふー。生き返る」

「ミシニーはそっちを頼む。オレは背後のを蹴散らしたらあっちのをやる。無理と判断したら木に登れ。あと、いきなり前に現れないでくれ。咄嗟《とっさ》に判断できるほどオレは戦いに慣れてないんでな」

「わかった。ちゃんと声をかけて近づくよ」

そう言って音もなく六匹のほうに駆けていった。

さすが冒険者。変なことしたらサクッと殺されそうだ。いや、しないけどさ。

まあ、心配しても仕方がない。今はゴブリンに集中しよう。ベネリM4を構えて背後から向かってくるゴブリンを撃った。

◆◆ピローン！　再び◆◆

背後のゴブリンを蹴散らし、追い払ったら八匹のほうに向かった。

ベネリM4に弾を込め——られない。弾切れだ。

「オールラウンドで戦える銃が欲しいよ」

セフティーホームに戻り、ベネリM4を放り投げ、P90のマガジンを交換。予備のマガジンをポーチに突っ込んで外に出た。

一分ほどかかってしまったが、ミシニーが相手しているゴブリンは二匹まで減っている。どうやらまだ死んではないようだな。

「まったく、理不尽だよな。ゴブリンを百でも二百でも倒せるヤツがゴブリンを駆除しなくて、銃を使わないと駆除できないオレがやらされてんだからよ」

なんかこう、ゴブリン駆除の請負とかできないものかね？　三割オレがいただき、七割支払う。

その報酬で元の世界のものが買えるとか。十五日縛りをつけたら横流しもできんだろうて。

「ふふ。駆除請負員制度とかな」

そうだよ。冒険者制度があるならゴブリン駆除請負員制度があってもいいじゃないか。ダメ女神からしたらゴブリンが駆除できたらいいんだからよ。

――ピローン！

なんだ？

――一ノ瀬孝人さんの案が採用されました。孝人さんに請負員カードを発行できる能力が追加されました。どんどん請負員を募ってくださいね〜。

請負員制度のことが頭に入ってきた。マ、マジかよ……。

しばらく動けないでいたが、間近にゴブリンの気配がして我を取り戻した。

「クソ！　今はゴブリンだ！」

P90を構え、三メートルまで近寄られたゴブリンに弾をぶち込んでやった。

連射でゴブリンを一匹一匹撃ち殺していき、二匹を逃してしまった。

「もっと標的を定めるの速くしないとな」

気配はわかるが体が応えてくれない。三十って歳《とし》を痛感させられるよ……。

「せめて戦闘力30くらいにして欲しかったぜ」

たぶん、オレの戦闘力は10くらい。雑魚《ざこ》もいいところだろうよ。

「お、終わったか」

笛が鳴らされ、こちらへ来てもらう。ゴブリンが死んだ今、ミシニーを探る術がないからな。

何回か鳴らしたらミシニーがやってきた。

「ご苦労さん。もうゴブリンはいなくなったから一休みしようか」

「ああ、助かるよ。もう三日も食べてないから限界だ」

そう言うとへたり込んでしまった。

三日も食べてないのによく動くエルフだ。戦闘力53はあるんじゃねーの？

「少し待ってろ。食べるものを持ってくるから」

先ほど補充した水とナイフを渡した。

「って、何か食べられないものはあるか？　禁忌にしているものとか」

エルフは肉を食わないとかな。

「いや、特にない。よほどのものじゃなければなんでも食うよ」

この世界のエルフは雑食のようだ。それでこの美貌《びぼう》を保てるとかファンタジーだよ。

少し離れてからセフティーホームに入り、飲み物と食料を作業鞄に詰め込んで戻った。

「待たせたな。まずはこれで腹を満たせ」

「……どこから持ってきたんだ……？」

「疑問はあとにしてさっさと食べろ。ゆっくりだぞ。三日も食べてないと胃が弱っているだろうからな」

「あ、ああ。そうだな。感謝する」

何気に礼儀正しいよな、ミシニーって。いいところの出なのかな？

バナナとソーセージは剥《む》いてやり、周囲の警戒をすると言って離れた。

その間にミシニーの仲間の荷物を持ってくる。知らんぷりして懐に入れるのは気が引けるんでな。

「こんな美味いものを食ったの初めてだ」

「気にしなくていいよ。ほら、仲間のものだ。回収できたものは返しておくよ」

もちろん、金も返しましたよ。使い道ねーし。

「いいのか？」

「オレには必要ないものだ」

町に入るときはそのときに考えるさ。

「助かる。町へ帰るのが心許なかったからな」

「ここから町は遠いのか？　オレは他から流れてきたからよくわからんのだ」

「そうだな。コラウス辺境伯領までは二日くらいだな」

二日？　ラダリオンの話では四日くらいだったはずだが。

「意外と近いんだな」

「いや、かなり遠いよ。夜も寝ずに歩いた場合だからな」

一日四十キロだとしても八十キロか。確かに歩けと言われたらノーサンキューと言える距離だろうよ。

「腹が落ち着いたら野営できる場所を探すとしよう。動けるか？」

「腹が満ちて眠くなってきたが、大丈夫だ」

ということで山を下り、野営ができそうな場所を見つけ、枯れ葉や枯れ木を集めて火を熾《おこ》した。

「遠くにゴブリンの気配はあるが、近寄ってくる感じじゃない。オレが見張っているから眠るといい」

「助かる」

「気にしなくていい。ミシニーにはこの辺のことを聞きたいからな。その代金だと思ってくれ」

地元民の情報には価値がある。このくらい手間ではないさ。

「わかった。少し眠らせてもらうよ」

そう言うと落ちるように眠りについてしまった。よほど疲れていたんだな。どこの馬の骨ともわからない男の前で眠ってしまうんだから。

何はともあれ、今のうちにラダリオンの食事と野営の準備をするか。

その場からセフティーホームに入った。

◆◆引っかかった？◆◆

戻ってきたらミシニーは気持ちよさそうに眠っていた。

よくよく見ても女にしか見えない顔だよな。これで男とか詐欺だよ。エルフは皆こうなのか？

焚き火に枝をくべ持ってきたものを作業鞄から出す。

五百円の赤ワインをステンレス製のポットに注ぎ、焚き火の近くに置いて温めた。ミシニーが起きるまでホットワインを楽しむとしよう。

リンゴを薄切りにしてポットに入れると、甘い香りが立つんだよ。

匂いに釣られてゴブリンが集まってくるかな？　と思ったが、一キロ以内にゴブリンの気配は感じない。どこかに行ったのか？

ゴブリンの気配を探りながらホットワインを飲んでいると、遠くから銃声が聞こえた。

「始めたか」

時刻的には午後。ちゃんと用意していたピザを食ったようだな。

「……な、なんだ？」

どこからか女の声がしたので慌てて立ち上がり、P90を構えた。いつの間に接近された？

周囲を探るが声の主はいない。え？　幻聴だったのか？

P90を下ろしてなんだったのかと困惑していると、起きたミシニーと目が合った。え？　今のミシニーの声だったのか？

「悪い。冒険者としてやっていくには男だと思われる必要があるんでな」

野郎声はどこへやら。澄んだ女の声を発した。

「……な、なん、で……？」

「魔法で声を変えていたんだよ。顔がこれで声が男だと襲われないからな。まあ、その手の野郎には逆効果だが」

声は澄んでても冒険野郎である。

「そ、そうか。大変なんだな」

としか言えないボキャブラリーのなさよ。我ながら情けない。

どうしていいかわからず座り直し、放り出したカップを拾って新しくホットワインを注いだ。

「の、飲むか？」

何か欲しそうにオレを見てるのでカップを差し出した。

「ありがとう。音よりこの匂いが気になっていたんだよ」

カップを受け取ると、ゴクゴクと飲み出した。

「美味いな！　もう一杯くれ！」

多少なりともアルコールは飛んでいるとはいえ、そうゴクゴク飲むものではない。酒豪か？

お代わりを注いでやり、新たに赤ワインをポットに注いだ。

「こんな美味いワインを飲んだのは初めてだ」

「そうか？　結構安いワインなんだがな」

オレはビール派だからワインは千円以下のしか飲まない。良し悪《あ》しより安さが大事な小市民なのだ。

「これが安いなら毎日飲みたいよ」

やはりミシニーは酒豪のようだ。

「そうだな。ゴブリンを一匹狩れば七本は買えるな」

どんな酒豪でも七本も飲めば充分だろうよ。うわばみでもなければ、だがな。

手のひらに請負員カードを思い浮かべると発行できた。なんかキモ！

「これはゴブリン駆除請負員の証《あかし》。請負員カードと言うものだ。オレが認めた者を請負員とできる」

ミシニーに請負員カードを渡した。

「ゴブリン一匹を倒すと三千五百円。今飲んだワインが七本買える」

「エン？」

「まあ、ゴブリン駆除員の間の通貨だな。ワインの他に衣服、武器、道具などが買える。ただし、これから買ったものには魔法がかけられていて、十日触らないと消えてしまう」

いや、本当は十五日なんだが、念のためトラップを仕掛けておこう。それが吉と出るか凶と出るかはわからん。状況次第だ。

「興味があるならやってみないか？　嫌なら一年くらいゴブリンを駆除しなければ請負員カードは消えるからよ」

「……どうしてわたしに……？」

一人称はわたしなんだ。

「冒険者ならゴブリンと遭遇することもあるだろう？　仕事のついでに駆除してくれたらオレの仕事が減るし、何割かオレに入る。ゴブリンの百や二百問題ないヤツなら誘うだろう。まあ、無理強いはしないよ」

オレ、無理矢理とか嫌いな紳士だし。

「……ゴブリン一匹狩ればこれが七本買えるんだな……？」

「もっと質が悪いものでいいなら十本は買えるんじゃないか？」

中古品や見切り品が買えちゃう謎設定。賞味期限が切れたビールが十円で売っていたよ。

「それは、高いワインも買えるってことか？」

「買えるぞ。オレは安くても構わないから買ったことないが」

オレの舌は庶民舌。安いワインでも美味しく感じるんだよ。

「やろう。こんな美味いワインを知ったらこれまでのワインなど飲めたものじゃないからな」

わたしの血はワインでできているってタイプの酒豪かな？

「じゃあ、カードに名前を告げろ。それでカードはミシニーのものになる。ちなみに、そのカードが見えるのは駆除員と請負員だけだから注意しろよ」

「わかった。ミシニー・ロウガルド」

なかなかカッコイイ名前ですこと。

「稼いだ数字はここに出て、買い物するときはここを押す。今は0だから何も買えないが、ミシニーならすぐ貯まるだろう。あとは稼いでからだな」

スマホを持っているならなんとなく使い方もわかるだろうが、なんの知識もなければチンプンカンプン。稼いでからじっくり教えたほうがいいだろうさ。

「まあ、まずはゆっくり休め。ゴブリンはたくさんいるんだからな」

まだ二時間くらいしか眠ってない。しっかりと疲れを取れ。

「そうだな。夕方まで眠らせてもらうよ」

そう言うと眠りについてしまった。

「どこでも眠れるって羨《うらや》ましいよ」

◆◆ミーティング◆◆

夕方になってミシニーが起きた。

冒険者は睡眠を自由にコントロールできるのだろうか？　夜眠るのが当たり前の者には特殊な能力としか思えないよ。

「ん〜〜〜〜うん！　よく寝た！」

四時間くらいでよく寝れるんだ。種族故の回復力か？

「それはよかった。食料は置いておくから食べてくれ。また明日来るよ」

「わたしの位置はわかるのか？」

「請負員ならな。そっちもオレの位置がわかるはずだ」

なんでそんな機能をつけたかわからんが、請負員の気配がわかるようになっていたよ。

「あ、確かにわかる、感じがするな。どうなっているんだ？」

「オレにもわからん。あと、あまり遠くに行かれるとオレの足では追いかけられない。そちらから来てくれると助かる」

山を歩くのも慣れたが、文字通り慣れただけ。二キロも離れたらオレからは近づいたりしないかな。

「わかった。こちらから行くよ。魔力も体力も回復した。明日の朝までたくさん狩ってやる」

「夜だとゴブリンは寝るんじゃないか？　それに暗いし」

「問題ない」

ないんですか。エルフ、高性能だな。

「まあ、無理しない程度にな」

「ああ、わかっているさ」

じゃあ、また明日、と野営地から去り、少し離れてからセフティーホームに入った。

ラダリオンはまだ帰ってきてないので、先に風呂に入り、上がったらビールを一杯。かぁー美味い！　もう一杯！

少し休んでから脱いだ服や装備の手入れを行い、弾を補充する。あ、リュックサックを買っておくか。野営やサバイバルができるようにしておかないと、いざってとき困るからな。

キャンプすらしたことがないから何を用意すればいいかわからんが、キャンプ雑誌買って考えよう。

「ただいま」

と、ラダリオンが帰ってきた。

「お帰り。風呂に入りな。アイス用意しておくから」

「わかった」

装備を外してユニットバスに向かった。

キャンプ用品は一旦中止して、食事とアイスの用意をする。

風呂から上がってきたらレディーなボーデンのイチゴ味を出してやり、今日はちらし寿司とケンタくんだと伝えた。

夕食が終わればミーティングを行う。

ラダリオンは言葉少なく細かいことまでは話さないが、それでも構わない。現状を共有し、コミュニケーションを図るのが目的なんだからな。

「エルフ？」

ミシニーのことを話すと、ラダリオンが首を傾《かし》げた。

「ラダリオンはエルフを知っているのか？」

「たまに会う。大人たちはいろいろ話しているけど、何を話しているかは知らない」

「どんな種族かは知っているか？」

「魔法が得意でお酒好き。マーダ族が造るお酒をたくさん買っていく」

酒好きは種族的なことだったんだ。酒好きと言ったらドワーフってイメージなんだがな。

「ショットガンの扱いは慣れたか？」

「うん。でも、弾を入れるのが面倒」

確かにそうバンバン撃てるものじゃないし、M590は四発しか入らない。大量に現れたら対処できないか。

「なら、別なのにするか」

KSGなら弾が入るチューブが二つあり、片方七発入り、二つで十四発になる。ただ、ラダリオンの体格だと、五発ずつ入るショートタイプがよさそうだな。

十万円とショットガンとしては高いが、それ以上の働きをしてくれるんだから渋る理由はない。

すぐに買ってラダリオンに渡した。

「初めてのものだから二発ずつ入れて慣れてけな」

オレは効率より確実性を求めるタイプ。安全第一である。

「念のためグロック19も装備しておくか」

巨人すら勝てない存在がいて、ラダリオンはまだ子供だ。殺すためではなく逃げる隙《すき》を作るために拳銃を持たせておくとしよう。

ついでだ。装備を一新するか。KSGに合うタクティカルベスト（ハイドレーションが入るタイプ）にして、腰のベルトにグロック19のホルスターとマガジンポーチ二つ。ダンプポーチを一つつけてやる。

一度装備させて具合を確かめ、苦しいところは微調整する。

「マチェットは止めて折り畳みのナイフにしておくか」

そう使うものではないし、ラダリオンならへし折ったほうが早い。別に解体することもないんだしな。

準備が終わればオレはサンドバッグ打ちを始める。

「あたしもやる」

と、オレの予備のグローブをつけるラダリオン。どうした？　いつもはケーキタイムなのに？

「強くなりたいからやる」

どんな風の吹き回しか知らないが、強くなるのに異存はない。オレが死んだら一人で生きていかなくちゃならないのだから大いに強くなれ、だ。

新しくラダリオン用のサンドバッグを買い、二人で打ち始めた。

◆◆虐殺か◆◆

朝。セフティーホーム時間で六時にオレは起きる。

疲れた日は寝坊もするが、元の世界にいた頃から六時には起きていたんです。

シャワーを軽く浴びて歯を磨く。一杯のブラックコーヒーを飲んで仕事モードに切り替える。

七時くらいにラダリオンが起き出し、もそもそとシャワーを浴びに向かった。

数分で出てきたラダリオンは、テーブルにつくと出してあった水を二リットル飲む。なんか昔からの習慣なんだってさ。

「昨日言った通り、合流してミシニーを紹介するな」

「わかった」

それからコ〇ダな珈琲《コーヒー》店のモーニングやサンド、サラダで朝飯を済ませ、食休みしてから用意を始める。

「じゃあ、先に行くな」

外の様子を確認してから出発する。

すぐにゴブリンの気配を探るが、半径一キロ内、いや、二キロ内に気配はなし。遠くにミシニーの気配を感じた。

「一晩で随分と離れたな」

軽く十キロは離れているんじゃないか？　エルフ、どんだけだよ。

「しかも、三十万円くらい報酬が増えてるし。ミシニーって高位冒険者だったりするのか？」

ゴブリンを百も二百も倒せると言うのだからベテランなんだろうと思ったが、本当に一晩で二百匹も倒すんだからタダの冒険者ってことはないだろうよ。

「クソ。あんなのがいるのに普通の人間にやらせんなよな」

平等な世界などないと知る年齢だが、だからと言って納得できるほど人間はできちゃいない。愚痴くらい言わないとやってらんねーよ。

「ハァ～。止め止め。オレは地道にがんばるとしよう」

どうがんばってもミシニーの域には届かない。望むのもバカらしい。普通は普通なりにやっていくしかないさ。

空瓶にロケット花火を入れて導火線に火をつける。

請負員の気配はわかっても駆除員同士の気配はわからない。ほんと、雑な仕事しやがって。ブラック女神め！
二、三分毎にロケット花火を打ち上げ、三十分くらいでラダリオンがやってきた。
「ご苦労さん。とりあえずミシニーが来るまで待つとしよう。おやつでも食ってろ」

オレもコンロを出してワインを温めた。

一瓶飲んだ頃、ミシニーがやってきた。十キロも走ってきたのに顔色一つ変えてないよ。

「まさか、タカトの相棒が巨人とはな」

あれ？　巨人って言わなかったっけか？　言ってなかったらごめんなさい。

「相棒のラダリオンだ。ラダリオン。こっちがゴブリン駆除請負員になったミシニーだ」

「よろしくな、ラダリオン」

「……よろしく……」

モジモジしながら木の陰に隠れてしまった。人見知りだったのか？

「一晩で結構稼いだようだな。もう虐殺じゃん」

いや、オレも一晩で七百匹以上は虐殺したけどさ。

「カードを見せてくれ」

「ああ」

渡された請負員カードを見ると、七十万円以上入っていた。ほんと、スゲーよ。

「まあ、休め。腹が減っているだろう。ワインもあるぞ」

「それは助かる。もらったものは食べてしまったのでな」

この世界のヤツは大食漢ばかりなのか？　二日分は持たせたんだがな。

食事を出してやるが、真っ先にワインをがぶ飲みするミシニー。空きっ腹にワインはキツいだろう。

なんて心配もなく、ラダリオンに負けないくらいの勢いで出したものを食べていった。美人が台無しだよ……。

◆◆扇情的だこと◆◆

よく飲みよく食べ、そして、眠ってしまった。え？

あ、いや、一晩中ゴブリン駆除に勤しんでいたんだから無理もないが、いきなり眠る？　唐突すぎんだろう。

「眠ったの？」

「そうみたいだな」

仕方がないとラダリオンからタオルをもらいミシニーにかけてやった。

「ラダリオン。今日は休みにする。セフティーホームに入っててていいぞ」

周辺にゴブリンの気配はない。ミシニーが稼いでくれたんだからゆっくり眠らせてやるとしよう。

「ううん。ここにいる」

「そうか？　なら、食い物でも持ってこい。一日のんびり過ごすのもいいだろう」

「ポテチ食べていい？」

「好きなだけ食べていいよ」

元の世界のものを容赦《ようしゃ》なく食っているが、ラダリオンの肌艶や髪に異変はなく、初めて会った頃より健康体になっている。糖尿や痛風など知ったこっちゃないって感じだ。

にっこり笑ってセフティーホームに入り、お菓子を山のように抱えて戻ってきた。両脇には四リットルのジュースを挟んで……。

「オレもワイン持ってこよう」

ラダリオンがいるなら魔物も寄ってこないだろうし、せっかくだからP90のマガジンに弾を込めるとしよう。二十本ばかり空になっているしな。

そんな感じでお互い適当なことをやって時間を潰した。

昼は交代で済ませ、午後はまったり過ごそうと思ったらミシニーが起きた。昨日も四時間だったが、ショートスリーパーなんだろうか？

「うーん。よく寝た」

「体、洗ってはどうだ？　言ってはなんだが、臭いぞ、お前」

美人なのに臭いとか残念すぎんだろう。

「女に臭いはないだろう」

「だったら匂いに気を使えよ。そのかかっているタオルを使って構わないから」

普通のタオルもラダリオンサイズだとバスタオルになる。充分体を隠せるだろうよ。

「ラダリオン。バケツにお湯を入れてきてくれ」

「わかった」

こういうとき便利だよな。ラダリオンが持ってくると、バケツも小さな風呂くらいになるんだからな。

「どこに消えるんだ?」

「オレたちの家さ。オレら以外には見えないところにあるんだよ」

隠しても仕方がないのだからちょっとウソを混ぜて話しておく。

「いったいタカトたちはなんなのだ?」

「しがないゴブリン駆除員さ」

そうとしか言いようがない。他にあるんなら教えて欲しいよ。

「ただ、オレらが買えるものはこの世にないものばかり。その価値がわかる者には黙っておくか、謎の商人から買ったと言っておくんだな」

「確かにこんな美味いワインがあると知れたら大騒ぎになるな」

まあ、すぐ消費される酒くらいなら問題ないだろうがな。

「——持ってきた」

ラダリオンがバケツを持って出てきた。

「しばらく消えるから体を洗え。終わった頃に戻ってくるから。ラダリオン。見張りを頼む」

「わかった」

頼むと言ってセフティーホームに入った。

それから二十分。ラダリオンが呼びに来たので外に出た——ら、タオルで体を包むミシニーがいた。あら、扇情的だこと。

「まず、下着から買うか」

地面にマットを敷き、ミシニーに請負員カードの使い方を教える。

請負員カードはスマホくらいのサイズで、タブレットより使い勝手が悪い。完全に急いで作った感じだ。

女のサイズなど知らんので、スポーツブラとパンツを買わせる。合わないときはちょっとずつサイズを変えて買っておくれ。

下着を買ったらつけてもらう。もちろん、背を向けますよ。

「こうか？」

このエルフは恥じらいがないのだろうか？　まあ、欲情する体ではないので構わないんだけど。

「いいと思うぞ」

インナーや服——登山服関係から一つ一つ選び出して着てもらった。

「妙な服だが、着心地はいいな」

現代の服を着るとモデルみたいだ。美人補正かな？

リュックサックやキャンプ道具、食料はオレが選んでやり、扱い方や食べ方を教えた。

「ワインはミシニーが選べな」

「ああ。しかし、凄いものばかりだな。どこで作られるんだ？」

「知らん。知る術もないしな。そういうものだと納得しておけ」

知ったところで異世界に行けるわけじゃないんだしな。

「あとは使って覚えてくれ。まあ、ありすぎて悩むかもしれんがな」

「何、ワインさえ買えたら問題ないさ」

アルコール依存症にならんていどに飲んでくれ。

「これで説明は終わり。オレたちは行くよ」

「ああ。もし、コラウスに来たらコレールの町に来てくれ。昔、仲間だった者が宿屋をやっている。

話を通しておくから来てくれ」

コレールの町か。覚えておこう。

「ありがとう。コラウスを目指してみるよ」

コミュニケーションが退化する前には行ってみるよ。

「ラダリオン。太陽が隠れる前に進むとしよう」

「わかった」

と、ラダリオンに抱えられてしまった。いやまあ、歩幅が違うんだから仕方がないか……。

「またな、ミシニー」

「ああ、また」

それでオレたちは別れた。次、会うことを約束して。

5　巨人の村

◆◆オーグ◆◆

季節は初夏になり、山は緑に覆われてしまい、ゴブリン駆除が段々と厳しくなってきた。

ゴブリンの気配は感じられるも枝葉に隠れてしまい、弾道が逸れてしまって外すことが多くなったのだ。

それだけでも困るのに、ゴブリン以外の魔物まで現れるようになりやがった。

「あれがオーグか」

オーグって言うからオークが訛《なま》ったものかと思ってたら、実は三メートルくらいある二足歩行の熊だった。紛《まぎ》らわしいな！

「あいつら、口から冷たい息を吐くんだ」

知りたくない情報がラダリオンの口から語られる。なんのために創ったんだ、ダメ女神よ？

「真夏に会いたい魔物だな」

気温三十七度になったら是非とも現れて、周辺を涼しくしてもらいたいものだ。

「ラダリオンはオーグの臭いがわかるんだな？」

オーグの臭いをいち早く嗅ぎつけたのはラダリオンだが、オーグの臭いと認識できるかを尋ねたのだ。

「わかる。あいつら獣臭いから」

名犬ラダリオン。冬の教会で共倒れしないよう賢く生きるとしよう。

「あの魔物を倒しても一円にもならんが、あれがいるとゴブリンが逃げてしまう。ラダリオン。狩ってくれ」

「わかった」

ラダリオンより低いが、オーグは強いようで、巨人の大人でも手こずるときもあるそうだ。

だが、こちらには巨大化したＫＳＧがある。鉛の玉が九個入った弾ならオーグでも倒せるだろう。

試し撃ちでオレの胴くらいの木を抉ったからな。

ラダリオンの服を伝って地上に下りた。

「行ってくる」

ガシャンと弾を装塡。オーグに向けて走り出し、オレはそのあとを追う。

山歩きに慣れたラダリオンを追うのは大変だが、雑木は倒され、他の魔物を気にすることもないのだからマシってものだ。
四、五百メートルほど走ると、ラダリオンが停止。ＫＳＧを構えた。
巨大化すると音も大きくなる。イヤーマフをしてても凄まじいな。鼓膜が破れそうだ。

三発で倒せたようで、ラダリオンが手を挙げて大きく振った。

イヤーマフを外してラダリオンの元へ向かった。

「これがオーグか」

さっき双眼鏡で姿を見たが、間近で見ると迫力が違う。こんなのと出会ったら大洪水必至だわ。

P90を構え、引き千切れたオーグに向けて撃ち、ナイフで抉り弾を出した。

「皮は突き破って肉までは到達しているか」

まったく効果がないってことはないだろうが、致命傷にはならないだろう。

連射にして撃つと、そこそこ効果はある感じになった。

「でも、倒すまでには至らないな」

P90でこれならHK416の弾でも似たようなものだった。対物ライフルでなら倒せるってところか。

バレットM82A3（M107か？）は、今のオレでは扱い切れんな。一発撃って尻餅をついてしまったよ。あーケツいってー。

「タカト。あっちにもいる。三匹」

「無理するな。足を狙って動きを封じろ」

「任せて」

何やら強気なラダリオンさん。銃とはそこまで強気にさせる武器なのだろうか？　オレは銃を持っても弱気なままなんですけど。

対物ライフルをセフティーホームに戻してからラダリオンのあとを追った。

遠くから何度も銃声が聞こえる。銃声の間隔からして苦戦している感じはしない。すっかりKS

Gを使いこなしているな。

オレが到着すると、ラダリオンがナイフでオーグを抉っていた。ナイフの切れ味を確認しているのか？

「魔石を取り出してる」

魔石？

しばらくして胸の辺りから野球のボールくらいの赤い石を取り出した。

「これが魔石。人間の魔法使いが買ってくれるって聞いた」

魔法の道具はないって言ってたから、魔力チャージ的な感じで使うのかな？

「そうか。町に行ったときの資金とするか。ラダリオン。他からも取り出してくれ」

なんの資金にするかまでは考えてないが、あって困るものじゃない。いざってときの備えにしよう。

セフティーホームからバケツに水を汲んできて、銃の掃除用に買ったウエスで魔石を綺麗にする。

「どこぞの賢者の石っぽいな」

体の中に石ができるとか意味わからん。尿道結石みたいなものか？

綺麗になった魔石を空のダンプポーチに入れ、次のオーグのところに向かった。

ラダリオンが取り出した魔石を綺麗にしていると、なんか咆哮《ほうこう》が聞こえた。まだいるのか？

「タカト。オーグの群れが来る」

「わかった。セフティーホームに入るぞ。昼にしよう」

逃げ切れないんならセフティーホームに入ってやりすごすとしよう。

その場からホームに入った。

◆◆鳥害◆◆

この辺りを縄張りとしているオーグを駆逐してやると、平和な世界が訪れました～、なんて日が来たらいいのになー。

「ハァー。ゴブリンとは強《したた》かな生き物だよ」

オーグがいなくなり、巨人のラダリオンが駆け回ってバンバン撃っているのに、ゴブリンはその隙を縫ってエサを探している。

オレも重装備をして駆け回っているが、駆除しても駆除してもゴブリンが集まってくるのだ。

「まあ、処理肉をばら撒いているから当然なんだけど」

オレたちは今、ここで合宿している。

ゴブリン駆除をしつつ重装備で山を駆け回り、体力強化、銃の技術向上。雨の日はセフティーホームでサンドバッグ打ちや筋トレを繰り返している。

「タカト。またオーグの臭いがした」

その日の夕方、セフティーホームに入ったラダリオンがそう報告してきた。

「またか。この山にオーグの好物でもあるのか？」

なんか木の実は生っていたが、なんか味のない梨ってものだった。

「たぶん、ゴニョを食べに来るんだと思う」

「ゴニョ？」

ポニョの親戚か？

「花だよ。赤い花びらの」

「あーそういや咲いてたな、そんなの」

植物に興味がないんで、背景の一部として処理されていたよ。

「美味いのか？」

「花は食べない。集まってくる鳥を食べる」

ラダリオンたちはココラと呼ぶ鳥で、花の蜜を吸う鳥が空を覆うくらい集まるそうだ。何それ怖い！

「そのココラは美味いのか？」

「あたしたちは食べない。小さすぎて処理が面倒だから。でも、オーグは好きみたい。冷たい息を吐いて捕まえるって聞いた」

なるほど。冷たい息で鈍らせ、落ちたココラを集めて食う、って感じなんだろうよ。

「ココラも集まりオーグも集まるのか。立ち去ったほうがいいか？」

さて、どうしたらよいものか。ココラがどんなものかわからんから判断できんよ。

「とりあえず、空を覆うくらい現れるならラダリオンは少し離れたほうがいいな。ココラの中に現れるのは嫌だろう？」

「うん。嫌」

即答か。そんなに気持ち悪いのか？　まあ、オレも嫌だけどさ。

次の日は山頂に向かい、単管パイプを買って組み上げ、鳥よけネットを二重に張り巡らせた。

一日かかって完成。二日目は周辺の木を倒して視界をよくしていると、遠くから銃声が連続で聞こえてきた。

連続で五発。それは警戒を示す合図だ。

今のラダリオンならオーグ五匹くらい余裕だ。それで警戒の合図を出すと思わないから別のものが現れたんだろう。

鳥よけネットの中に入り、そこからセフティーホームに入ると、先にラダリオンが入っていた。

「タカト。ココラが現れた。太陽を遮るくらいの数だった」

太陽を遮るくらいかい。なんてヒッチコック劇場だよ？

「ラダリオンはどのくらい離れた？」

正確ではないけど、メートルは教えてある。キロはまだです。

「二千メートルは離れたと思う」

「もうちょっと離れたほうがいいかもな。最低でも三千メートルは離れておけ」

「わかった」

ココラが現れたときの行動は決めてあるのですぐに出ていった。

オレもベネリM4と鳥撃ち用の弾をバケツに入れて外に出た。

先に出したテーブルに銃を並べ、焚き火を熾した。煙で寄ってこないようにするためだ。

しばらくすると、ゴブリンの気配が遠ざかっていった。

「ゴブリンも逃げるレベルか」

そして、オーグは集まってくるレベルか。ハァー。

双眼鏡で周囲を探ると、遠くから黒い塊がこちらへと向かってきた。

「……蝗害《こうがい》ならぬ鳥害《ちょうがい》だな……」

よくよく見たらゴニョはこの一帯にたくさん咲いており、群生地と言っても過言ではなかった。

「異世界怖いわ～」

そんなところでゴブリン駆除をする困難さよ。この世界はどれだけオレのやる気を削《そ》ぐんだろうな。泣きたくなるぜ……。

不気味な黒い塊が数百メートルまで近づくと、手を広げるように周辺に分散した。まさに太陽を遮るほどだった。

オレは頂上にいるからゴニョは咲いてないが、溢れたココラがこちらに流れてきた。

羽ばたく音とキーキーという鳴き声が凄まじい。鳥よけネット、二重では心許ないかも……。

「うげっ！　鳥のフンまで考えてなかった！」

急いでセフティーホームに入り、パラソルを買ってきた。

テーブルの上にも爆撃されたが、銃にはかかっていなかった。鳥害、怖いわー。

「マスクをしておくか」

防毒マスクをつけてしばらく様子を見るが、なんだかどんどん集まってきている感じだ。

「これが何日も続くのか？」

まあ、無理して狩る必要もなし。少し様子を見てからベネリM4の練習ついでに狩るとしよう。

◆◆M79グレネードランチャー◆◆

二日目もココラの勢いが衰えることはなかった。

「今日も元気だよ」

ただ見ているだけでは時間がもったいないので、HK416を整備した。

「――とは言え、さすがに飽きてきたな」

P90やグロック19も整備をしたが、キーキーうるさくて集中できない。DVDプレイヤーを持ってきて映画を鑑賞することにした。

三日目になってもココラちゃんは元気だ。外から見ているラダリオンによると山が黒くなるくらいココラが群がっているそうだ。

オーグも二十匹くらい集まっているようで、冷たい息をかけて踊り食いしているそうだ。

「それでゴニョが枯れない不思議。どんなファンタジー理論が働いているんだろうな？」

ベネリM4をつかみ、ネットの外に銃口を出して引き金を引いた。あ、ちなみに頭上にビニールシートを被せました。カッパ一着ダメにしてな。

鳥撃ち用の弾なので狙わなくても数十匹を撃ち殺したが、これといった変化はなし。また弾を込めて全弾撃ち放った。

用意した百発があっと言う間になくなってしまう。

「一発二十円のを買ったが、損した感が否めないよ」

百発程度じゃ練習になったのかも怪しい。オレもKSGを買おうかな？　でも、ガシャンガシャンするのメンドクセーしな～。

そもそもショットガンで多数を相手するのが間違ってんだよ。やはり五匹以下の群れを相手するものだわ。

「グロック19を練習するか」

こっちのほうがよく使うかもしれんしな。

四日目。撃っては弾を込め、撃っては弾を込めての繰り返し。オレはいったいなんの練習をしているのかわからなくなってきた。

いや、生きるための修業なんだから挫けてどうする！　がんばれ、オレ！　なんて、自分を励ましながら銃の訓練を続けた。

十日が過ぎた頃、何かココラの数が減っていることに気がついた。

「吸い尽くしたか？」

十日も吸える蜜があったもんだと感心するが、これでいなくなってくれるのならなんでもいいさ。

なんて安心するのも束《つか》の間《ま》。死んだココラを狙ってゴブリンが四方から向かってくるのを感じた。

このままでは不味いと判断し、リュックサックを背負って迎え撃てる場所に移動した。

「まったく、すぐ集まる害獣だ」

見晴らしのいい岩場に来たらセフティーホームに入り、P90装備に着替えた。

「こんなことなら機関銃を買っておくんだったぜ」

もうあんなことはないだろうと、検討だけして買うことはなかった。この駆除が終われば二丁は買ってやるぜ！

なんて死亡フラグなど立ててしまったが、死ぬ気などさらさらない。P90のマガジンを作業鞄に詰め込んだ。

外に出ると、ゴブリンの気配がさらに集まってきていた。

「ココラが去っていく」

なんて最終回っぽいセリフを吐いてしまったが、まだ始まってもいない。ゴブリンの気配の一部が山に登ってきた。

「オーグを避けたか？」

気配はさらに分かれ、死んだココラに食らいついたのか停止した。

ここから遠く、木々に隠れて姿は見えないが、千匹は集まっている感じだな。

「ラダリオンが来たか」

銃声が少しずつ近づいてきていて、十四単位で報酬が入ってきた。

「この距離じゃ、グレネードランチャーのほうがいいかもな」

いい機会だと五万二千円のグレネードランチャー――M79を買い、榴弾が八発入った箱を四箱買った。

扱い方は予習済み。あとは実践で学べだ。

外に出てM79に榴弾を装填。安全装置解除。ゴブリンがいるほうに向けて引き金を引いた。

ポシュンと軽い音とそれなりの反動がして木々の間に消えた。

爆発はしたが、なんかいまいち。だが、二匹は死んだから弾代は稼げたな。

山なりに撃つことしか今のオレにはできないが、これだけの距離と高低差があれば狙って撃てばいいだろう。これも撃って覚えろだ。

「しかし、これだけ撃ってもゴブリンが逃げんな」

まあ、最後の晩餐《ばんさん》だ。しっかり味わってから死ぬがよい。

残り十数発。さあ、もっと近づけ。もっと集まれ。死の宴《うたげ》にな。そして、たらふく食ったら汚く飛び散るがいい！

◆◆ワンマンアーミー◆◆

さらに榴弾を買ってきてゴブリンをミンチにしてやった。

それでもゴブリンが逃げることはなく、徐々にではあるが山を登ってきている感じだ。

「ココラ、なんかヤバいもんでも含まれてんのか？」

もう百匹は駆除しているのに、まったく退《ひ》く気配がない。何か、興奮した気配を纏っていた。

まあ、ここまで登ってくるまで時間はかかるからさらに駆除できるが、バーサーカーモードのまま来られるのは止めてくれ。

「クソ。榴弾って思うほど駆除できん武器だな」

映画ならドッカンドッカン敵を吹き飛ばしていたのに、現実はそこまで成果はない。これで儲けになってなければ放り投げているところだ。

榴弾を追加する気もなくなり、山を登ってくるところを狙うことにした。

P90のマガジンはたくさんあるんだし、所々にマガジンを置いて下がっていくことにしよう。

見張り台（仮称）から下がり、登りやすいところに予備のマガジンを置いていき、また山を下った。

「ったく。ワンマンアーミーとか映画の中だけにして欲しぃよ」

背は低く、素手の害獣だからやっていられるが、数の暴力はいかんともしがたい。隙間なく登ってきてやがるぜ。

見張り台に立ち、ハイドレーションの水を飲んで気持ちを落ち着かせる。大丈夫。オレはやれる。いざとなればセフティーホームに入ればいいんだから慌てる必要はない。

「よし。死にさらせ！」

気配の濃いところに向けて弾を吐き出した。

あっと言う間に五十発がなくなる。やっぱ機関銃は必要だな。

マガジンを交換。もったいないが、集めている暇がないのでマガジンは捨てることにする。

マガジン四本撃ったら後退。次のマガジンを置いた場所で登ってきたゴブリンを薙ぎ払ってやる。なくなればまた後退。マガジンを置いたところで撃つを繰り返し、山頂に向かった。

熱を帯びてきたので換えのP９０に交換。使っていたのはあとで回収だと木の陰に置いた。十二万円もしたんだから捨てられません。

「弾がゴミのように消えていく！」

もう千発は撃ったのにまったく減ってくれないよ！

「クソ！　クソ！　クソ！」

ほんと、この世界に来て何度クソと叫んだことやら。口が悪くなる一方だぜ。

山頂に到着する頃には手持ちのマガジンだけ。それも五分と持たない。グロック１９を抜いて全弾撃ち尽くしたらセフティーホームに入った。

ゼーゼーと呼吸するだけで肺が痛い。あんなに走り込んだのにこれとか、ほんと情けなくて泣けてくる。三十歳の体はこんなにも成長しないものなのか？　畜生が……。

なんて落ち込んでいる場合じゃない。まだ外にはゴブリンがいて、ラダリオンががんばっている。泣き言はあとで吐け、だ。

水を飲んだらＨＫ４１６装備に着替えた。

終われば十二個入りの手榴弾を八箱買い、５．５６㎜弾が入ったマガジンを買って作業鞄に詰めた。

　窓から外を見ると、ゴブリンどもが落ちたココラを貪り食っていた。

「鉛玉が入ったものがそんなに美味いのかね？」

　これは確実に危ない成分が含まれているわ。

「だが、今がチャンスだ」

　八箱――は無理なので、三箱を抱えて外に出た。

　ゴブリンどもは現れたオレに気づいていない。箱を下ろして手榴弾をプレゼントしてやった。

　次々と投げ、次々と爆発し、次々とゴブリンどもが死んでいく。

　三十六個の手榴弾があっと言う間になくなり、次はHK416を構えてデザートを食わせてやった。お味はいかが？　お代はお前らの命でいただきまーす。

　しかし、連射にするとすぐ弾がなくなる。てか、アサルトライフルって何発撃てるんだ？　M4カービンは百五十発撃ったら熱くなって煙が出ていたが。

「クソ！　詰まった！」

　ちゃんと整備して556を吹きかけてたのによ！

　何度も詰まり出す。もうダメなのか？

「邪魔クセーわ！」

　HK416を捨ててグロック19を抜いた。

「――タカト！」

グロック19の弾もなくなりかけたとき、ラダリオンの声がして頭上に影が。ドシーン！　と目の前にラダリオンが立った。

「あたしに任せて！」

その言葉に慌ててセフティーホームに飛び込んだ。ラダリオン、カッコよすぎ！

◆◆すき焼き◆◆

安心したら体中が痛くなった。

足が痛い。腕が痛い。指が痛い。頭が痛い。痛いところばかりで泣きたくなる。なんでオレがこんな目に遭わなくちゃならないんだよ！　理不尽すぎんだろう！　この世には神も仏も……いるんだった。ハァー。

這うように中央ルームに向かい、タブレットで湿布を大量に買った。

あ、貼る前に汗を流すか。汗臭いままではラダリオンに嫌われるからな。

根性で装備を外し、ユニットバスへ。軽く汗を流し、湿布を体中に貼った。冷え○たも買っておくか。指が腫れてるよ。

なんとか下だけ穿《は》き、マットレスに。そのまま倒れたらなんかグーグーって音がした。な、なんだ？

瞼《まぶた》を開くと、目の前にラダリオンの顔があった。

「……あ、オレ、眠っていたのか……？」

「うん。もう夜」

確か、午後の三時くらいに入ったような記憶がある。って、もう十時過ぎてんじゃないか！

がっつり眠っちゃったよ！

「ん、すまん。腹減っ――」

起き上がろうとしたら全身の筋肉が悲鳴を上げた。

「無理しなくていい。あるもの食べたから」

その腹の虫さんは全力で食い物を寄越せって言ってますよ。

「タブレットを取ってくれ。何が食べたい？」

「肉がいい」

元気な胃で羨ましいよ。

チャレンジメニューの俵ハンバーグ（三キログラム）を二つに、超大盛りご飯、鳥の唐揚げ特盛り。冷めても美味しいピザを十ホール買った。

「ジュースとケーキはまだあるか？」

「食べた」

だよね。一日と持ったことはないしね。冷蔵庫、もう一台必要だな。

いつもの倍は買い、仕舞うのはラダリオンにお任せ。今のオレにはタブレットを操作するだけで精一杯なんです。

ガツガツ食べるラダリオンを見ていたらまた睡魔が。いつの間にか眠りに落ちており、気がついたら午前十時になっていた。

「……タカト、大丈夫？」

視界にラダリオンの顔が入ってきた。もしかして、ずっと見守っててくれたのか？

「ああ。昨日よりマシになったよ。あ、水をくれ」

用意してあったか、すぐにペットボトルの蓋を外して飲ませてくれた。ガブガブゴボ。も、もうちょっとゆっくりお願いします！

なんとか水を飲み干し、一息つく。

「朝は食ったか？」

「食べた」

ラダリオンの胃は今日も元気なようだ。

「すまない。湿布を交換してくれ。背中とか届かないからな」

まだ筋肉は悲鳴を上げている。起き上がるのが辛いぜ。

ラダリオンに湿布を交換してもらい、ゼリー状の栄養食を買って食した。今はこれが精一杯だわ。

「外はどうなっている？」

「弾が切れるまでゴブリンを駆除した。オーグもどこかに行った」

タブレットを見たら報酬が五百万円近くになっていた。これならまたしばらく楽ができそうだな。

「また焼肉にするか」

「焼肉やるの!?」

「今回はラダリオンが活躍してくれたし、すき焼きでもいいかもな」

「すき焼き？　それ美味しいの？」

「ああ、美味いぞ。焼肉と並ぶご褒美料理だ。甘い汁で焼いた高級な牛肉を卵に絡めて口に入れる。そうすると肉が舌の上で溶けるんだ。もう口の中が幸せで満ちるぞ」

一万五千円コースは伊達《だて》ではなかった。なんなら三万円コースのを買ってやるか。

「……そ、それは、神の食べ物……？」

「人が作りし最高の料理だよ」

あのダメ女神を見て、オレの中で神は死んだ。もう二度と神に祈ったりはしない。讃《たた》えることもしない。ゴミ以下の存在だ。

「ただ、オレの体がよくなってからだ。すき焼きは自ら焼かないといけない料理だからな」

「わかった。最高の料理を食べるためにもっとゴブリンを駆除する。タカトのショットガンを貸して。あたしの調子悪いから」

まあ、ＫＳＧも酷使しただろうしな、不具合が起きても仕方がないか。力強いラダリオンが使っているんだし。

「使い方、わかるか？」

「わかる。練習した」

いつの間に？　一緒にいるのに気がつかなかったよ。

「そっか。慣れるまでは充分注意するんだぞ」

鳥撃ち用の弾を三百発買ってやった。

「行ってくる！」

ベネリM4をつかんで中央ルームを飛び出していった。

玄関と繋ぐ出入口を眺め、座椅子《ざいす》に移って新装備を何にするか考えた。

機関銃は買うとして、アサルトライフルはFN－SCARにするか。こっちも値段がよろしいが、5．56㎜弾と7．62㎜弾があって、LとHに分かれている。民間仕様のもあるが、特殊部隊が使っているものを選ぶとしよう（素人考え）。

Lのほうがゴブリン用。Hは強力な魔物が出たとき用だ。

まあ、オレは慣れてきたP90をメインとしよう。

「体がよくなったら人のいるところに移るか」

なんか山にいるとゴブリンの群れに遭遇する確率が高い気がする。人のいるところでちまちま駆除するとしよう。

でも、まずはすき焼きで慰労会だ。オレもいっぱい食って力をつけるぜ！

◆◆遭遇◆◆

すき焼き、とっても美味しゅうございました。またやりたいけど、またあんな状況には陥りたくはないです。

安全第一。少ないながらも安定収入。残業は月五時間まで。休日出勤はたまにあり。二度のボーナスがいただける。オレはなんて幸せな工場で働いていたんだろうな。あの日に戻りたいよ……。

なんて過ぎ去りし日々を懐かしんでも仕方がない。今を生きることに目を向けましょう、だ。

体の痛みが抜けるまで三日。若い頃は筋肉痛など一日で完治したのに、三十過ぎたら三日もかかるのか。老いとは斯《か》くも残酷なものだと知らなかったよ。

「ラダリオン。とりあえず南に進んでくれ。印は定期的にな」

「わかった」

防毒マスクを装着したラダリオンが外に出て、オレは五分くらい間を置いてから外に出た。

「やはりまだ臭いな」

死臭が装備につくのが嫌なので、安いつなぎにP90といった簡単な装備にする。

先に出たラダリオンを追って山を下りる。

二時間かけてゆっくりと麓に下り、一度、方位磁石を出して南を確かめる。

「タカト！　ゴブリン！」

ベネリM4が気に入ったラダリオン。右に左に向けてゴブリンを駆除している。

オレも負けてられないとP90を向けてゴブリンを撃ち、ラダリオンのあとを追った。

昼になると死臭域から抜けたので、一度セフティーホームに入って装備を完全に整えた。

南、南と向かい黙々と歩く。本当にこっちでいいのか？　本当に八十キロの距離なのか？　ミシニーの気配がまったく感じないんですけど。

「ん？　ゴブリンの気配？」

出歩き隊っぽいが、なんだか警戒している気配だ。また何かいるのか？

警戒しながら進むと、道に出た。

草が生えておらず、轍《わだち》があることからして頻繁《ひんぱん》に往来している感じだ。

「南はこっちだから……あっちか」

方位磁石で確かめてから道を進んだ。

「タカト。人の臭いがする」

しばらく進んでいると、ラダリオンが声を上げた。人？

「ううん。これは……巨人だ」

人間と巨人って臭いが違うのか？

道を外れ、五十メートルほど森に入ると、巨人の男がいた。

ジャックと豆の木に出てきそうな髭《ひげ》もじゃの男で、獣の革で作ったベストに革を継ぎ接《は》ぎしたズボンを穿いていた。近くには石斧が落ちている。

巨人の男は木に寄りかかり、右ふくらはぎを手で押さえていた。

このまま見捨てるのもなんなので、ラダリオンを先頭に近づいた。

◆◆ゴルグ◆◆

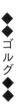

「おれはゴルグと言う。木を伐りに来たらミドに襲われてしまったんだ」

巨人の男は、オレたちに驚いたものの石斧をつかむことなく落ち着いて名を告げた。

ミド？　また巨人を襲う魔物か？　ほんと、勘弁して欲しいぜ。

「そのミドは？」

「蹴り飛ばしてやったら逃げたよ」

よかった。巨人でも対抗できる魔物のようだ。なら、巨大化したベネリM4でもなんとかなるだろう。オレなら即死レベルだろうけど。

「傷は深そうか？」

「ああ。かなり深く噛まれた。血も多く流れて動けないよ」

顔を見たら青くなっていた。

「ラダリオン。セフティーホームから救急セットを持ってきてくれ」

元の世界の薬がどこまで巨人に効果があるかわからないが、何もしないよりはマシだろう。

「わかった」

ラダリオンが戻ってくるまでに噛まれた場所のズボンを切ると、確かにかなり深く噛まれていた。

「巨人の肉を噛むとか恐ろしいものがいるんだな」

「ミドは普段、おれたちを襲ったりはしない。子育て中のミドに近づいたおれの失態だ」

凶悪、ってわけじゃないんだ。あとでどんなものか聞いておこう。

ラダリオンが持ってきてくれた救急セットのジッパーを開け、抱えるほどのマ○ロンを出した。

「結構滲《し》みるが、我慢してくれ」

そう言ってマ○ロンを傷口にプッシュした。

「うぐっ！」

「傷口を綺麗にする薬だ。我慢しろ」

オレの拳くらいになった綿棒で固まった血を落とし、またマ○ロンをプッシュしてバスタオルくらいあるガーゼを当て、あとはラダリオンに包帯を巻いてもらった。

「食欲はあるか？」

「あまりない。水があったらもらえるか？」

オレでは無理なので、ラダリオンが持っているペットボトルを渡してやった。ちゃんと蓋を外してな。

「ふー。美味い。手間をかけさせたな」

「構わないよ。こちらも人がいるところに案内してもらいたいしな。まあ、とりあえず寝ろ。起きるまでオレらがついているから」

「ああ。そうさせてもらうよ」

そう言うとすぐに眠りに落ちてしまった。

「ラダリオン。周辺を探ってくれ。もし、ミドとか言うのがいたら殺してくれ」

オレの安全のためにな。

「わかった」

ラダリオンが周辺の警戒に出たらオレは枯れ木を集めて火を熾した。

「なんかオレ、助けてばっかりだな」

ラダリオンに始まり、ミシニーと続き、ゴルグときている。オレは人を救うためにこの世界に送り込まれたわけじゃないのによ。

いや、人助けのほうがまだ人間らしい行動で、有意義な行為か。ゴブリン駆除なんてダメ女神の利益にしかならないんだからよ。

辺りが暗くなる頃、ラダリオンが戻ってきた。

「何もいなかった」

「ご苦労さん。毛布と水、あと、果物を持ってきてくれ」

そうお願いし、持ってきてくれた毛布をゴルグにかけてもらった。

「夕飯の用意をする。しばらく見張っててくれ。何が食べたい？」

「今日はカレーが食べたい。全部乗せね。あと、メロンも」

「またメロンか？　よく飽きないもんだ」

最近のお気に入りで、毎日毎食メロンを十個も食べているよ。

「リンゴより美味しいから飽きない」

それはリンゴに申し訳ないから同じくらい好きと言っておきなさい。

セフティーホームに入り、夕飯を買い揃えたらキャンプ道具と食材、ワインを二本持って外に出た。

「ラダリオン、交代だ。食べたらゴルグ用の食い物を出してくれ。あとは休んでいいからな」

「わかった」

ラダリオンがセフティーホームに入り、オレはキャンプ用具を設置した。

筋肉痛に苦しみながらDVDでキャンプ映像を観て学んだ。まあ、観ただけでは上手くできないので結構な時間がかかってしまったよ。

カセットコンロに寸胴鍋を載せ、シチューを作っていると、横から腹の虫が鳴った。

「すまん。いい匂いだったので……」

「食欲が出たなら回復している証拠だ。もう少し待て。ゴルグ用の食事を運んでくるから」

と、言った側《そば》からラダリオンが食事を運んできてくれた。

「食えないものがあったら無理に食うことはない。酒は傷口が完全に塞がるまでダメだぞ。酒は筋肉を緩め、血のめぐりをよくする。傷口が開いて血が止まらなくなる」

にわか知識だが、酒で治るのは酔っ払いの妄想だ。

「その包みは食えないから注意しろ」

味の好みはあるだろうが、モスなバーガーなら万人受けするだろう。ラダリオンも美味しい美味しいと食っていたからな。

「美味いな、これ！　なんなんだ？」

「ハンバーガーって食べ物だよ。細かくした肉を固めて焼き、パンで挟んだものだ」

オレに細かい説明はできません。そういうものだと思って食え。

「もっと食いたいところだが、もう腹いっぱいだ」

巨人がすべて大食漢ってわけじゃないんだな。ハンバーガー四つとシチューを食べて腹が膨れたようだ。

「残りは明日食べたらいいさ」

温かいものを温かいうちに食べられる時代じゃないっぽい。冷めても平気で食えるだろうよ。

「この借りは必ず返すよ」

「ああ、頼むよ。オレらは遠くから流れてきたからこの辺のことは何も知らないんだ。いろいろ教えてくると助かる」

「お前さん、タカトと言ったか？　冒険者なのか？」

「いや、オレらはゴブリン駆除を生業とした者だ。一匹殺すと一食分の稼ぎになるんだよ」

「そんな商売があるんだな」

「どこかの大魔法使いが始めたことらしい。オレは会ったことはないんで詳しくは知らんがな」

という設定でいくとしよう。ダメ女神からと言っても信じられないだろうからな。大魔法使いってほうが真実味があるはずだ。

「まあ、今は回復に専念して休め」

「ああ、そうさせてもらうよ」

ゴルグが眠ったら長い夜を弾込めで過ごした。

◆◆ラザニア村◆◆

三日過ぎたらゴルグの傷も塞がり、松葉杖《まつばづえ》を渡したら歩けるようだった。治癒力高いな。

とは言え、完治はしてないので、もうしばらく滞在することにして、オレはマチェットの練習をして過ごした。

「随分器用なんだな」

ただマチェットを振るのもなんだからと、ゴルグが枝で的を作ってくれたのだが、なかなか斬るのがもったいない的であった。まあ、斬ったけど。

ナイフで削るのがとにかく速い。薪からは人型の的まで作ってしまったよ。

「そうだな。巨人は大体は器用だな。おれは職人だから特に器用だと思う。それに、内職で剣や槍の的も作っているよ」

へー。職人なんだ。そりゃ上手いわけだ。

「しかし、よく切れる刃だ。これ、売ってもらうことはできるのか？」

「売ってやらんこともないが、オレらが使う武器や道具には魔法がかかっている。触らないでいると十五日後に消えてしまうんだよ」

石斧を使うレベルのところで工業製品たるナイフは神の武器にも匹敵するだろう。欲しいと思うのは当然だ。

「まあ、コラウスでオレたちの後ろ盾となってくれるなら鉄の斧も鉄のナイフも安く譲ってやるぞ」

ここでちょっとセフティーホームの裏技。この世界のものを持ってセフティーホームに入り、ラダリオンに持って外に出ると巨人サイズになる。

この世のものなら十五日縛りはない。ただ、これもラダリオンが自分の持ち物と思わないとダメなようだけどな。ただリュックサックに入れただけではダメだったよ。

「それでいいのなら後ろ盾にでもなるさ。鉄の斧は夢だったからな」

「じゃあ、承諾ってことで、そのナイフとマチェットを貸しておくよ。好きに使ってくれ」

ラダリオンがいれば安全だが、巨人がもう一人いてくれたら安心だ。オレの命が買えるならナイフやマチェットくらいうま○棒を買うくらい安いよ。

……それだとオレの命がうま○棒と同じになるか……？

それから二日。ゴルグの治癒力は凄まじいもので、傷口は塞がり、急がなければ充分に歩けるくらいになった。

「明日、調子がよければ出発するか」

「ああ。家族も心配しているだろうからな、早く帰りたいよ」

ゴルグ、嫁と子供が三人いるんだとよ。しかも、三十二歳とオレと同年代だった。

……なんだろう。この敗北感は……？

出発の日は生憎の霧雨だが、ラダリオンに抱えてもらえばなんてことない。ゴルグが住む村、ラザニア村に向かって出発した。

……今日の夜はラザニアを食べるとしよう……。

「結構大きな村なんだな」

山の頂上に着き、ゴルグがラザニア村を指差した。いや、コラウスが結構広かった。

「ああ。おれら巨人が住む村だ」

どうりでこの距離で認識できるわけだ。巨人が住んでたらそりゃ村はデカくなるよ。

「たくさん住んでいる感じだな」

双眼鏡で見ると、二十軒以上は建てられている感じだ。

「ああ。コラウスで暮らす巨人の半分が住んでいるよ」

なんでもコラウスには百人以上の巨人が暮らしているそうだ。

「――ゴルグ！」

下からゴルグを呼ぶ声が。視線を向けたら槍を持った巨人の男がいた。

「ヤード！　久しぶりだな！」

「久しぶりじゃねーよ！　帰ってこないから死んだと思ったじゃねーか！　ロミーが泣いてんぞ！」

「すまんすまん。ボロドの木を探していたら奥に入ってしまってな、ミドに噛まれて動けなかったんだよ。すまんが、ロミーに生きてたと伝えてくれ！」

「ああ、わかった。しっかり怒られろよ」

そう言うと、巨人とは思えない身軽さで山を下りていった。

「村の者か？」

「いや、城に仕えている。ここはよく魔物が出るからな、追い払う意味で山を歩いているんだよ」

さすがの魔物も巨人がいたら近寄らないか。まあ、そのせいでゴブリンはよく出るそうだ。

頂上から迂回《うかい》して山を下りていき、昼休憩を挟んで三時くらいにラザニア村に到着できた。オレはずっとラダリオンに抱えられてたけど。

巨人三十人くらいが村の入口に立っており、見た目、二十代後半の女がこちらに駆けてきた。

「あんた！」

「ロミー！」

ってことはあれがゴルグの嫁さんか。随分と若いな。ゴルグが老け顔なだけか？

一しきり熱い抱擁が終わり、村の連中に声をかけられ、なんの最終回だ？　と眺めていたらやっとオレらを思い出してくれたようだ。

「タカト、ラダリオン、来てくれ」

ラダリオンに抱えられたままってのも恥ずかしいが、巨人の足元に立つ勇気はない。恥より命を優先させてもらいます。

「ロミー。こいつはタカト。オレの恩人だ。こっちはタカトの相棒で、マーダ族のラダリオンだ」

「どうも、奥さん。抱えられての挨拶《あいさつ》申し訳ない。タカトだ。よろしく」

「あたし、ラダリオン」

「ありがとね、バカ亭主を救ってくれて」

何か、肝っ玉かーちゃんって感じだな。

「オレは怪我の手当てをしただけだ。無事なのはラダリオンがいてくれたからさ。もし、礼がしたいならラダリオンに頼む。女のことは女にしかわからないだろうからな」

巨人にもアレはあるだろう。この数ヶ月アレはなかったが、これからもないってことはない。オレにはどうしようもないんだから女の先輩に任せるしかないだろう。

察したのだろう。ゴルグの嫁さんがにっこり頷いてくれた。

「あいよ。任せな」

わかる嫁さんで何よりだ。

「さあ、おれんちに来てくれ。歓迎するよ」

ってことで、巨人の村に入れてもらった。

◆◆許可◆◆

ゴルグの家は大きいものだった。

いや、巨人だからじゃなく、食堂兼居間の他にも部屋が三つあり、外には作業場まであった。

「おれら巨人は人間に重宝されるからな、そこそこは稼げているのさ」

ちゃんと意志疎通ができて手先も器用。戦いともなれば決戦兵器ともなる。頭が使える者からしたら多少金を払っても味方でいて欲しいだろうよ。

「それはよかった。まともな領主のようで」

子供を育てられて、服もそれなりに上等だ。迫害されていたらこんな暮らしはできないだろうよ。

「そうだな。辺境だからこそおれらは必要とされる。今の領主はあまりいいウワサは聞かんが、先代様や領主代理様は話が通じるお方だ。いい暮らしをさせてもらっているよ」

なるほど。そこまで悪いところではないようだ。まあ、領主なんかと会うこともないんだし、気にすることないな。

「子供は小さいんだな」

見た感じ、六歳、四歳、赤ん坊だ。男、女、男だってさ。

「まあ、村では若夫婦に入るからな」

三十そこらでも若夫婦になるんだ。巨人は晩婚化なのか？

と言うか、お子さんたちが興味津々で見てくるのですが。オモチャじゃないんだから乱暴にしないでね。

上の子でも三メートルはあり、四歳の子でも二メートルは超えている。確実に手足をもがれるわ。

「やはり、住むなら人間の村のほうがよさそうだな。こっちだとガキどもにオモチャにされるからな」

「あ、やっぱりされるんだ」

「まーな。だから巨人の子は八歳になるまで村から出られない決まりだ。出るとしても大人がついているか、村の周辺までだな。人間の町には絶対に連れていけん」

それ、監視とか隔離とかされてんじゃね？　本当に上手くやれてんだよね？

「住むところは村の外にしてくれ。ラダリオンもいるしな。そう許可をもらってくれ」

「そうか？　なら、挨拶ついでに村長と話をするか」

そうだな。コミュニケーションは大事。引っ越し、ではないが、しばらく厄介になるんだから挨拶はしておくべきだろう。手土産とか必要かな？

「村長は人間なんだ」

「ラザニア村のはな。こちらは長老が治めているよ。よし、いくぞ」

ってことでゴルグ親子ともども人間が住む区画に向かった。

巨人の区画と人間の区画の間には人工の川が流れており、巨人でも越えられない幅だ。人間の区画は高台になっていた。

……これ、完全に監視されてんじゃん……。

カーンカーンと鐘を鳴らすと、兵士風の男が橋の向こうに現れた。

「ゴルグ、生きてたか」

「ああ。こっちの二人に助けてもったよ。村長はいるか？　ちょっと呼んで欲しいんだが」

「わかった。あとで生還祝いでもやろうや」

「おう。いい酒をもらったから振る舞うよ」

夜の晩酌用のワインだろう。五、六本ほど渡したからな。

兵士が下がり、しばらくして白髪混じりの男性が何人か連れでやってきた。

「ゴルグ。生きとったか。心配したぞ」

「申し訳ない。ボロドの木を探してたらミドに噛まれてしまいました。困っているところをこの二人に助けられました。その礼をしたいんで二人を村に置いてやってくれませんかね？　二人はゴブリンを狩る仕事をしているんで、村も助かると思います」

随分と下手に出るんだな？　年齢による敬いか？

「ラダリオン。下ろしてくれ。上からでは失礼だからな」

さすがにこの状態は堪えられない。ラダリオンにお願いして下ろしてもらい、村長さんの前に立った。

「初めまして。一ノ瀬孝人と申します。こっちはオレの相棒でラダリオン。ゴブリン駆除を生業としております」

握手文化がないので、日本人らしくお辞儀した。

「随分と礼儀正しいの。外国の方か？」

「はい。ですが、ゴブリン駆除をする毎日。東に西にと動きすぎて、故郷がどこだか忘れてしまいました。人と会うのも久しぶりです。二度と会えないのかもと思うくらい山を彷徨《さまよ》いましたよ」

ミシニーと会うまでそう思ってたな。

「それは難儀したの。ゴブリンを狩ってくれるならこちらは大歓迎だ。あいつらは本当に厄介じゃからのぉ」

「この辺にもいるんですか？」

「ああ、うんざりするほどにのぉ。十数年前は王が立ってたいそうな被害を出したよ」

オレは数十年に一度を当ててしまったようだ。クソ！　もっと安全なところに出現させろや、ダメ女神！

「王なら一月前くらいに倒しました。そのあとミシニーってエルフの冒険者に会ったので聞いてもらえるといいかと」

「王を倒しただと⁉」

「通常のゴブリンの三、四倍はありました。武器も持ってましたね」

まあ、本当に王だったかはわからんけどな。

「……お、お主は、勇者なのか……？」

「オレはゴブリン駆除員。素手で戦ったらそこの兵士にも負けますよ、王を倒せたのは入念な準備をして、罠を仕掛け、ラダリオンと協力したから倒せたことです。通常は、五、六匹がやっとですよ」

ちなみに銃はジャケットの下のグロック19だけしか装備してません。ラダリオンに抱えてもらってたので。

「そ、そうか。それだけの者ならこちらからお願いしよう。ゴルグ。お前が面倒みてくれ。大抵のことなら許可を出すから」

そう言うと、村に戻っていった。

どうせミシニーの口から伝わるだろうとしゃべったが、なんか面倒なことになりそうな予感がする……。

◆◆新装備◆◆

ラザニア村の外にオレらの土地を貸してもらった。

一応、ここはコラウス辺境伯の領地。村の外も村のものとして扱うらしい。

オレらにはセフティーホームがあるが、人との繋がりを持つには居場所が必要。ここに住んでますよって意味でここを借りたのだ。

住むからには何か建物は欲しいところ。なので、巨人たちに建ててもらうことにした。てか、半日で建てるとかどんだけだよ！

「いい斧だ」

「こっちの道具もいいぞ。これがあればもっと細かい作業ができるのにな」

斧や鉈《なた》、ノコギリにミノ、ハンマーなどを壁にかけ、一日銅貨一枚、約千円くらいで貸すことにした。

一日千円が安いか高いかわからんが、巨人たちには概《おおむ》ね喜ばれており、借りる者は多かった。売ってくれと言う者もいたが、消滅魔法がかかっていると言って諦めてもらったよ。

「貸出はゴルグに任せる」

そのことをゴルグに言ったら承諾してくれ、ロミーが管理してくれることになった。

人間の村に向かい、橋を渡ると巨人を監視する兵士がいたが、昨日と違う男だ。交代制なのかな？

「どうも。村の外に住み出した者です。そちらに入れますか？」

「ああ。あんたがゴブリンを狩るって男かい。話は聞いてる。好きに入ってくれ」

「ありがとうございます」

軽く会釈して村に入った。

「意外と人間が住んでんだな」

家が三十軒以上立っており、村ってより町って感じだった。

「風車とかあるんだ」

思った以上に発展しているみたいだな。

オレが住むことはもう村中に知れ渡っているようで、たくさんの人に声をかけられてしまった。てか、仕事はいいのか？

人に尋ねながら村長宅に到着。なかなか立派な家だった。

「すみませ〜ん。村長いますか〜？」

呼び鈴がないので、開け放たれた玄関から奥に声をかけた。

と、すぐに中から男が出てきた。

「タカト様。申し訳ありません。父は街に行って留守にしております。何かありましたか？」

父、ということは息子さんか。いや、孫か？

「いえ、ゴブリン駆除を始めようかと思いまして、その報告です、ゴブリン駆除となると二、三日帰ってこれなくなるので」

「そうですか。ゴブリンには本当に悩まされているので助かります。冒険者に頼もうとしても報酬が安くて誰も引き受けてくれないんですよ」

「そのようですね。こちらとしては取り分が減らなくて助かりますよ」

「しかし、ゴブリンを狩って儲けになるんですか？　なんの役にも立たない害獣ですよ」

「そこまで儲けにはなりませんが、元締めから質のよいものを買えます。この服もそうで、大きな都市でも売ってません。まあ、大魔法使い様の力で転売することもできませんがね」

そういうことを常に言っておく。寄越せと言われても困るからな。

「もし、ゴブリン駆除に興味がある者がいたら声をかけてください。請負制度があるので小遣い稼ぎにはなりますよ」

「わかりました。ですが、やろうと思う者は少ないでしょうね。ゴブリンを狩るのは手間ですから」

ゴルグも言っていた。ゴブリンを狩るくらいなら鹿や猪を狩ったほうが簡単だとな。

「まあ、成り手のない稼業。元締めも嘆いていますよ」

「ハハ。冒険者ギルドも嘆いていましたよ。誰も受けてくれないと。だからタカト様のような方が来てくれて本当に助かります」

「ご期待に添えるようがんばりますよ」

そう言ってお暇《いとま》させてもらった。

村の外に出たらすぐにセフティーホームに入った。

いちいち手間ではあるが、村の中では軽装備で動くことにした。ここの人に重装備は変な格好に見えるだろうからな。見慣れたらそのまま出入りさせてもらいます。

新しく買ったSCAR－L（サイトとサプレッサー搭載タイプ）装備に着替え、迷彩ポンチョを羽織ったら網つき帽子を被った。

「冒険者に見られたら討伐されそうだな」

そうならないよう注意していきましょう。

よし！　と気合を入れて外に出た。

◆◆赤い彗星《すいせい》か？◆◆

ほんと、ゴブリンはどこにでも生息してやがるぜ。

ラザニア村からちょっと森に入っただけでゴブリンの気配をあちらこちらから感じる。そりゃ、ここに生きる者も嘆いてしまうわ。

ただ、ここのは二、三匹で動いているのが多い。

こちらとしては助かるが、隠れるのが上手くて目では見つけられない。気配がわからなかったら絶対見つけられないぞ。

　これはSCAR－Lよりショットガンがいいと、すぐに装備を換えてきた。

　その選択がよかったようで、昼までに四十二匹も駆除できてしまった。

「とは言え、まったく減った感じはしないな」

　周辺にはたくさんの気配があり、なんだか包囲されているような気になってくるよ。

　安全なところでセフティーホームに入ると、ラダリオンが先に入っていた。

「ご苦労さん。そっちはどうだ？」

「いっぱいいて、すぐに弾切れになる」

　訊けば三回は補充に戻ってきたそうだ。

「そっちもか。オレのほうも気配が多くて酔いそうだよ」

　装備を外し、身軽になって昼飯を食うとする。

　食休みしたらお互いの位置を確認し合い、ちょっと昼寝してから装備を纏って午後の駆除に出た。

　それから夕方まで励み、一日で五十万円も稼いでしまった。

　地道に、と言っていいか謎だが、こうして少数の群れを駆除していくほうが稼げるんだから嫌になる。大群を駆除するのは損でしかないぜ。

　次の日も同じ数くらい駆除でき、また次の日も同じ。三日四日五日と同じくらい駆除できた。

「いや、多すぎ！　千五百匹もいるとかアホか！」

　よくこれで人の暮らしが成り立っていたな！　王が立ったときよりいやがるぞ！

「指が痛くて仕方がないよ」

毎日何十回何百回と引き金を引く。もうタコが潰れちゃってるよ。

「ラダリオン。三日くらい休みにしようか。ラザニア村にも帰ってないしな」

そろそろ貸出品にも触っておかなくちゃならない。十五日縛りとは言え、いつ帰れるかわからないのだから小まめに帰っておくほうがいいだろうよ。

ってことで明日はラザニア村に帰るための移動日とした。だって、十キロくらい移動しちゃったんでな。

「ラダリオンは先に帰って、貸出品に触っておいてくれ。オレは道に出て帰ってみるからよ」

「わかった」

玄関でラダリオンを撫でてやり、先に外に出た。

「また増えてんな」

どこかから補充されてんのか？　ほんと、勘弁して欲しいよ。

今日は移動日と決めたので、装備はちょっと軽めにして道を探した。

コラウス辺境伯領へ続く道は大小混ぜて十三はあり、なるべく森の奥に入らないよう周辺を駆除していた。

なので、道はすぐに発見。開けたほうに歩き出した。

ゴブリンの気配はあるが、気づいてない風にして通りすぎる。

「ほんと、ここのは隠れるのが上手いな」

気配ではわかっても目ではわからない。本当にいるのかもわからないほどだ。

最初は我慢していたが、気配が鬱陶《うっとう》しいので鳥撃ち用の弾を撃って追い払ってやった。

何匹かは死に、何匹かは怪我を負い、何匹かは一目散に逃げていった。

弾代は稼げているので出し惜しみはしない。あっと言う間にダンプポーチに入れた弾がなくなってしまった。

弾を補給しながら道を歩いていると、右側から矢を生やした猪《いのしし》が飛び出してきた。うおっ、びっくりしたー！

慌ててベネリM4を構えたら、今度は冒険者風の少年たちが飛び出してきた。

「足を狙え、ベズック！」

「だったら前に立つな！」

少年四人があっと言う間に木々の間に消えていった。

「……な、なんだ……？」

しばし茫然としていたが先ほどの少年たちの悲鳴が上がった。

助けてやる義理はないが、若い命が間近で失われるのも気が滅入る。仕方がないと道を逸れ、木々の間を縫って進んだ。

と、棒を持った赤い肌のゴブリンがいた。新種か？

まあ、オレからしたら色違いでしかないな。

「お前ら、しゃがめ！」

と叫んだら素直に従う少年たち。反応がいいな！

なんて感心している場合ではないと、ベネリM4を構えて全弾食らわせてやった。

「お？　死なないとか赤い彗星は違うな」

鳥撃ち用だから威力は低いが、それでも二発も食らわしてたらこれまでは死んでいた。六発も食らって死なないってことは上位種か特異種のどちらかだろうよ。

左手でマチェットを抜き、重傷の赤い彗星の頭に振り下ろした。

「――いだっ⁉」

どんだけ頭硬いんだよ！　手首捻るわ！

「クソ。頭の硬さまで三倍増しかよ」

マチェットを抜くと、刃が欠けていた。まだ新しいのに。

赤い彗星を蹴り飛ばしてやり、大人の余裕で笑ってみせた。

「少年たち、大丈夫か？」

ただ、少年たちは余裕がないようで、腰が抜けている感じだった。うんまあ、大洪水を起こさないだけ立派だよ。

◆◆街の手前で◆◆

しばらくして少年たちが我を取り戻した。

「水は持っているか？」

そう訊くと、持ってないと首を振ったので、リュックサックからペットボトルを出し、少年たちに飲ませてやった。

「……助かったよ……」

礼を言ったのは戦士風の少年だった。

「そういうときはありがとうございますって言うんだ。そのほうが相手にいい印象を与え、次も助けてもらえるかもしれないからな」

説教をするなんて歳を取ったのかね？　自分では若いつもりなんだがな。肉体は老いを感じてるけどよ。

「あ、ありがとうございます」

戦士風の少年が訂正して礼を言うと、他の三人もありがとうございますと続いた。

「どう致しまして。助けた甲斐《かい》があるってものだ。怪我したヤツはいるか？」

「ダズ。殴られたところは大丈夫か？」

「スゲー痛いが、折れてはいないから我慢できる」

斧を持った少年がダズらしい。

「どこを殴られたんだ？」

「腕だよ。咄嗟に守ったから変な風に殴られた」

見せてもらうと赤く腫れ上がっていたので、冷却スプレーを出して吹きかけてやった。

「あんた、魔法使いなのか？」

「ただのゴブリン駆除員だよ。これは大魔法使いが作ったものさ。他のヤツは大丈夫なのか？」

「ああ。ダズが庇ってくれたから怪我はないよ」

「それは何より。歩けるなら道に戻るぞ。そこかしこにゴブリンがいる。あいつらは弱いと判断したら襲ってくるからな」

ほんと、ゲスな生き物だよ。創ったヤツの性格がよく出ているぜ。

「あ、そこの猪はどうする？」

赤いゴブリンにでも伸《の》されたんだろう猪を指差した。

「そうだ、猪！」

気づいた少年たちが伸びている猪の足を紐で縛りつけ、二人で足をつかんで持ち上げた。力持ちぃ〜。

「アルド、先を行け。ダズは殿《しんがり》だ」

オレは猪を持ち上げた二人の横に立って道に向かった。

「そのまま持って帰るのか？　解体して持てる部位だけ持ってったほうがいいんじゃないか？」

「そうしたいが、今回の依頼は猪一匹なんだよ。面倒でもこうして運ぶしかないんだ」

大変なんだな、冒険者の仕事も。

道に出てしばらく歩くと、草原が現れた。

特に何かを放牧しているわけじゃなく、何かを植えているわけでもない。緩衝地帯、って感じかな？

「交代だ」

八十キロくらいの猪を運ぶのは大変なようで、一キロくらい歩いたら交代していた。

なんでオレは付き合ってんだ？　って思いながらも少年たちと行動をともにし、休んでいる間はオレが見張りをやっていた。

「な、なあ、なんか食うもの持ってないか？　あれば分けてもらいたいんだが？」

「うん？　ああ、構わないぞ」

買ったはいいが、ずっとリュックサックに入れっぱなしのカロリーバーを四人にくれてやった。

「うめー！」

と喜ぶ少年たち。まあ、不味くはないと思うが、そこまで歓喜するほど美味いか？　ラダリオンなんて一本食べて終わったぞ。

「それなら残りもやるよ」

ここで出さないと賞味期限が切れそうだからな。

「いいのか？　金ないぞ」

「遠慮なく食え。ただ、水はないから喉に詰まらせるなよ」

「もう少し行けば川があるから大丈夫だ」

カロリバーを食い尽くし、五分も歩いたら小川があった。

少年たちは荷物や猪を放り投げ、小川に口をつけてゴクゴク飲み出した。異世界人の腹はそんなに丈夫なんだろうか？　オレなら確実に腹を下すな。

「オレは余所《よそ》から来たからこの辺のことは知らんのだが、街はまだ遠いのか？」

「猪持っているから昼には着くと思う」

ってことは十キロあるかないかくらいか。なら、街で買い物しても夕方までには帰れそうだな。

また歩き出すと、麦畑が現れた。

辺境の割に豊かなところだよな。麦畑の他に柵に囲まれた農地があり、家畜まで飼われていた。

「ゴブリンがいるな」

畑と畑の間の草むらに隠れている。まったく、どこにでもいる害獣だよ。

「少年たち、ここでお別れだ。気をつけて行けよ」

ちょうど十字路に出たので少年たちに別れを告げた。

「あ、ありがとうございました」

「ああ。挨拶と感謝はちゃんとすることだ。それは大人からの信頼となるからな」

おじさんからのお節介だ。

少年たちから十二分に離れたらセフティーホームに入り、ベネリM4からSCAR‐Hスナイパーに持ち換えた。

マガジンは二本でいいだろうと、カーゴパンツのポケットに入れた。

外に出たらゴブリンの気配を探る。

「なんだか進めば進むほどゴブリンが増えていくな」

目では見つけられないが、結構な数のゴブリンが草むらに隠れている。子供を外で遊ばせていたら連れ去られるぞ。

「百メートルはあるが、まあ、練習だ」

周囲に人影はなし。リュックサックを下ろし、寝そべってSCAR‐Hスナイパーを構えた。

スコープを覗き、なんとなくピントを合わせるが、オレは見るんじゃなく、スコープ越しに気配を探った。

ゴブリンの気配が形となったら引き金を引いた。

「ヒット。次」

仲間が倒れたことに驚いているゴブリンを撃ち抜いた。

昼まであと三十分。弾が尽きたら終了とするか。

場所を移り、また草むらに隠れているゴブリンを狙撃していった。

◆◆刃物屋ガズ◆◆

十三匹倒したところで昼になったので、周囲に人がいないことを確認してからセフティーホームに入った。

「ラダリオンはまだか」

時計は十一時四十九分。十二時になるまで進むみたいだな。

今日の昼飯は会社の社員食堂で出るＡＢＣのセットメニューで、各セットを六人前ずつ買った。さすがに美味いものばかり食べていると栄養が偏る。なので、昼は社員食堂のメニューにすることにしたのだ。

「一食四百円で提供するんだから凄いよな」

企業努力に感謝です。

冷蔵庫から麦茶のペットボトルを出してたらラダリオンが入ってきた。

「ご苦労さん。手を洗ってきな」

ラダリオンのリンゴジュースを出し、手を洗ってきたらいただきます。

昼飯が終わり、食休みしながら地図を開いてお互いの位置を確認し合う。

「オレは街道に入って街に向かう。夜には帰ると思う」

「あたしは三時に着くかも」

周囲の状況を語り合い、一時になったら準備をする。

もう街に近いので腰回りの装備だけにして、万が一のとき用にショルダーホルスターとリュックサックにもグロック１７を入れておく。

「てか、今が夏なのを忘れていたよ」

装備を隠すためにポンチョを羽織ったのだが、森の気温と平地の気温がまったく違った。クソ、暑いわ。

もう街もすぐそこ。人の往来も激しくなったので、冷却スプレーで我慢する。

「想像以上にデカいなー」

ゴルグの話では三重の壁に囲まれた街で、中も広いとのことだった。

城壁の周りは緩衝地帯となっており、なんかトゲトゲの植物が植えてあった。

「リアル進撃だな」

「魔物がいる世界は怖いわ～」

この世界、すぐ魔物が集まるから嫌になるよ。

やがて巨人でも潜《くぐ》れそうな門が見えてきた。

門には一応兵士が立っているが、金を取ってるわけではなく、見張りとして立っている感じだ。

金を払うのは第二城壁からで、第一級市民が住むところなんだとか。市民税を払えば暮らせるようだが、年間金貨三枚払う必要があるそうだ。

城門を潜ると、なんかすえた臭いが鼻に入ってきた。

ライフラインなんてない時代。排泄物もどう処理しているかわからない。こんな臭いになるのは当然か。よく病気にならんよな。

カーゴパンツからマスクを取り出してかけた。次はもっといい防臭マスクを買うとしよう。

来たの失敗したな～と思いながら人の流れに乗り、適当に歩いた。

露店も結構あり、商売も盛んみたいだ。

野菜やら肉やら衣服やらといろいろ売っているが、これといって欲しいものはない。ショッピングも趣味ではないので流し見するだけだった。

少し疲れたのでオープンカフェ（心の目で見ればな）でワインを頼んでみた。一瓶銅貨三枚でした。

「ミシニーやゴルグが五百円のワインで喜ぶはずだわ」

銅貨三枚がぼったくりに感じる味である。

「じいさん、やるよ」

とても二口目にいけないので、道端で物乞いをするじいさんにプレゼントした。

「いいのかい？」

「構わないよ。瓶は返しておいてくれ」

ついでに地面に置いてある皿に銅貨一枚を入れてやる。オレより不幸なじいさんに幸せのお裾分けだ。

「また会ったらもっとマシなワインを飲ませてやるよ。それまでがんばって生きててくれ」

その前にオレが死んだら大爆笑だがな。

じいさんに別れを告げて人の流れに乗り、露店を眺めていたら目当ての露店を発見できた。

「見せてもらうよ」

露店の店主は片脚がなく、左目に眼帯をかけていた。

「おう、見てってくれ。どれも業物、ってわけじゃないが、値段通りのもんだぜ」

見た目は厳《いか》ついが、口調は軽く口上もおもしろかった。

「木を削るようなナイフを三本。斧を一本。砥石もあれば欲しい。銀貨五枚くらいで見繕ってくれ。

あ、ナイフは鞘がついているものだと助かる」

「これは上客が来たもんだ。にいさん、外国の人かい？」

「ああ。旅から旅の繰り返しで、もうどこの国で生まれたのかも忘れたよ。今は巨人の村に住まわせてもらっているよ」

「ってことは、ラザニア村かロースト村かい？」

ローストって、ほんと、誰が命名したんだよ？

「ラザニア村だよ。世話になっているから土産にと思ってね。大柄の男で手も大きいから柄も大きいものにしてくれ」

良し悪しなんてわからない。勧めてくれたものを買うとしよう。

「使い勝手がよかったらまた買いに来るよ。いつもここで商売してんのかい？」

「いつもってわけじゃないが、大体この辺でやってるよ。もし、気に入ってくれたのならバイルズ武具店に行ってみるといい。ガズの紹介だと言えば少しは安くしてくれるはずだ。斧もいろいろ揃っているよ」

「バイルズ武具店な。覚えておくよ。オレは孝人。覚えておいてくれ」

「タカトな。もちろん、上客の名前は忘れたりしないよ」

鞘に入ったナイフをリュックサックに入れ、斧はリュックサックに縛りつけた。

「そうだ。冒険者ギルドってこの近くかい？」

「あの高い塔の側にあるよ。タカトは冒険者なのかい？」

「いや、しがないゴブリン駆除員だよ。じゃあ、また」

そう言って塔を目指して歩き出した。

6　長い夜

◆◆受付のシエイラ◆◆

冒険者ギルドの建物はすぐにわかった。ちなみに塔は教会でした。

「意外と立派だな」

古臭くはあるが、造りはしっかりしており、二階建てが多い中、冒険者ギルドだけ三階建てだった。

出入口は開け放たれており、武器を持った男たちが――いや、一般人も出入りしてる。オープンなところなのか？

「冒険者ギルドってより日雇い仕事仲介が主って感じか？」

入っても大丈夫だと判断したら中に入ると、なかなか広く、思いの外、混雑していた。

「さて、どこだ？」

ゴルグが冒険者ギルドに買い取りしてくれるところがあり、魔石も買い取ってくれると言うのでやってきたのだ。

この世界の言葉をわかるようにしてくれても文字までわかるようにしてくれなかったダメ女神。ほんと、雑な仕事しかしないヤツである。

どこかなと見回していると、二メートルはある厳つい男が赤黒くなった布袋を背負って入ってきた。

そのままカウンターに進み、赤黒くなった布袋を出した。

「アルズライズだ。依頼のオーグの首と魔石だ」

これはタイミングのいいこと。じゃあ、あそこが買い取りしているところだな。

しかし、単独でオーグを狩ったのか？　まあ、単独で狩っても不思議じゃない体格と威圧感を持っているが、バケモノなのには違いない。銃を持っているオレでも倒せるかわからんサイズなのによ。

「豪鬼のアルズライズだ」

「またオーグ狩りか。バケモノだよな」

やはりオーグを単独で狩るのはバケモノじゃないと無理のようだ。これからもラダリオンに露払いしてもらおうっと。

しかし、オーグの首を室内で出すとか衛生観念まるでなしだな、この世界。どんだけだよ。カウンターが綺麗になるまで待つとしよう。

オーグの首と魔石は革袋二つになった。ゴルグが言うには金貨三枚くらいになるそうだが、銀貨と銅貨で支払われたっぽい。金貨じゃ使い勝手悪いだろうしな。

豪鬼と呼ばれた男が出ていき、カウンターが掃除されてから向かった。

「すみません。初めての利用なんですが、買い取りはここでいいんですか？」

そこにいたのは初老の男で、左目に片眼鏡をかけていた。

「外国人か？」

「はい。今はラザニア村で厄介になっています」

探るような目で上から下まで値踏みされた。

「不味いものが見えたら教会でお祓《はら》いしてもらうといいですよ」

もし、ダメ女神が見えたらファッ◯とお伝えください。

「不味いものでも憑《つ》いているのか？」

「そうかもしれませんね。平穏に暮らしているところを無理矢理戦場に立たされましたからね」

「それで、何を売りたい？」

さらっと流された。スルー力、お高いことで……。

リュックサックから布に包んだオーグの魔石を出してカウンターに置いた。

「……また、オーグの魔石か。どうした？」

「狩る以外に方法があるなら是非とも知りたいです」

あんなバケモノから奪い取るとか無理ゲーだ。殺される未来しか見えないよ。

「まあ、冗談はさておき、オーグを狩ったのはオレの相棒です」

「その相棒はどうした？　なぜ来ない？」

「ここまで巨人が入っていいのなら連れてきますよ。但《ただ》し、苦情はそちらが受け持ってくださいね」

まあ、ラダリオンが来るとは思えないが、オレもこんなぶっきらぼうを相手するのはおもしろくない。大人の対応とは大人の対応ができる者にするもの。礼儀知らずに対応するものじゃない。と、オレは思っております。

「巨人が相棒か」

「ええ。頼もしい相棒――いえ、家族ですね」

もう、いて当たり前の存在なのだから家族と言っていいだろうよ。

「そうか。巨人と仲良くやっているならいい。オーグの魔石は金貨二枚。支払いは銀貨になる。もちろん、大きさにもよるが、これなら金貨二枚が妥当だろう」

「じゃあ、それでお願いします」

価値を知らないのだから任せるしかない。交渉スキルもないし。仮にぼったくられたら次から利用しないだけだ。

「冒険者か？」

「いえ、ゴブリン駆除員です。もし、ゴブリンの情報があるなら売ってください。どこにどれだけいるか、どんなゴブリンがいるかが知りたいので」

「もしかして、ミシニーが言ってた男か？」

「ミシニーはコレールの町にいるんじゃないんですか？」

ちなみに、コラウス辺境伯領には四つの町があり、町は〇〇の町と呼び、ここは街と言って区別しているそうだ。

「拠点としているのはコレールの町だが、ミシニーは高位冒険者だ。大きな仕事を頼むときは本部に来てもらっている」

やはり強い冒険者だったんだな。よかった、紳士的に対応して。

「それは残念。会えると思ったんですがね。コレールの町に行ったほうが早いか」

「相手は高位冒険者。行っても会えるとは限らんぞ」

売れっ子ってことか。まあ、どうしても会いたいってわけじゃないし、会えるときに会えばいっか。

「ゴブリン討伐の依頼は常に出ている。なんならギルドに登録するか?」

「いえ、オレはゴブリン駆除が専門で、他の仕事は素人。無茶な仕事を押しつけられるのも嫌なのでお断りします」

「なら、準冒険者として登録しておけ。準冒険者は技術のない者がなるもので、日雇いをする者に便宜上与えられるものだ。準冒険者になっておけばゴブリン討伐もできる。一匹小銅貨一枚が支払われるぞ」

「小銅貨一枚ですか。確かに誰もやりたがらないわけです」

「辺境伯様より出される補助金にも限界がある。お前さんのようにゴブリンを討伐してくれる者がいてくれると助かる。ギルドとして便宜を図らせてもらうよ」

組織に入るのは面倒だが、冒険者ギルドがバックにいてくれるならこちらにもメリットはある。特に人の領域で駆除するなら冒険者ギルドと関係を築いておくべきだろう。

「わかりました。準冒険者になります」

「それは助かる。シエイラ！　来てくれ！」

と、シエイラさんとやらを呼ぶと、三十歳くらいのグラマラスな美女が来た。随分と色っぽい女だこと。

興味がないと言えばウソになるが、だからと言って好みかと言われたらそうじゃない。オレはほどよくがストライクなのだ。

「ミシニーから報告があった男だ。準冒険者として登録してくれ。あとはそちらに任せる。金はそちらに持っていく」

そう言うと席を離れた初老の男性。仕方がないとシエイラと呼ばれた女性に目を向けた。

「どうも、ゴブリン駆除をしている一ノ瀬孝人です」

「わたしは、受付をしているシエイラよ。これからあなたの窓口となるのでよろしくね」

握手文化はないのに、なぜか両手で手を握られた。

これは……あれか？　色仕掛け担当か？　残念ながらオレは魔法使いじゃない。そんな色仕掛けは通じないぜ。

◆◆オレとの約束◆◆

シエイラに連れられて二階へ。個室で面談か？　なんてワクワクドキドキしていたら重厚なドアの前まで連れてこられた。

「ここは？」

「ギルドマスターの部屋よ」

「なぜ？」

そっとシエイラから離れ、ポンチョの下にあるグロック19に手をかけた。

「すまない。そういう騙し討ちをするようなヤツと話すことはできない。帰らせてもらう」

念のためにスタングレネードを一つ持ってきてよかった。一瞬の隙をついて外に逃げられるはずだ。

「ちょっ、いや、待って！　騙し討ちなんてしてないわよ！」

慌てた様子のシエイラ。女だからと油断はしない。女だって強いヤツはいるからな。

「説明を求めなかったこちらにも非はある。だが、そちらも説明をしなかった。冒険者に登録するだけでギルドマスターの部屋に連れてくるわけがない」

そう言いながら少しずつ後退する。

「ごめんなさい！　説明しなかったのは謝るわ！　こちらには悪意はないの。ただ、ミシニーから報告を受けたからギルドマスターに会ってもらいたいだけ。神に誓ってあなたを騙したりしないわ」

「生憎、神は信じてない」

特にあのダメ女神に祈ってやるものか。与えるものは罵詈《ばり》雑言《ぞうごん》だけだ。

「何を騒いでいる？」

と、部屋から筋骨隆々な中年男性が出てきた。うん。確実に勝てない相手ですわ。

「マスター。あの人がミシニーから報告があった男性です。こちらに悪意はないと説明してください」

ホルスターからグロック19を抜いた。階段までもう少しだ。

「ハァー。ミシニーからちゃんと対応しろと言われていただろう。すまない。うちの職員が無礼を働いた。ギルドマスターとして誠心誠意謝罪する。その手のものを戻してくれないだろうか？　この通りだ」

と、頭を下げるギルドマスター。そこまでされたら従うしかないだろうが。

「左手のものも戻して欲しいが、いきなり信じろと言うのも無茶な話だ。そのままでいいから話をしよう」

まったく、この世界、バケモノが多すぎくん！　透視能力でも持ってんのかよ！

グロック19はホルスターに戻し、スタングレネードはそのままに警戒を解いた。でも、油断はしない。ポンチョの下で落としたら大変なことになるからな。ピン、抜いちゃったし。

「こちらに来てくれ」

促されて部屋に入り、隣の談話室的なところに通された。

「何か飲むかね？」

「いりません。ここのは口に合いませんので」

毒の心配ではなく味の心配をしなくちゃいけないものを飲む気はない。

「そうか。口に合わないのは大変だろう」

「まあ、そうですね」

ミシニーがどこまでしゃべったかわからない。オレから教える必要もない。言葉を濁しておくとしよう。

「準冒険者を証明するのはこの木札だが、職員用の鉄札を渡しておく。もちろん、職員のように扱ったりはしない。ゴブリン討伐は本当に苦労している。進んでやってくれるなら願ったり叶《かな》ったりだ。だが、問題を起こされても困るからな。職員代行として規律ある行動をしてくれると助かる」

「それを文字にして、こちらが納得したら了承します」

あとでゴルグに読んでもらおう。了承するかはそれからだ。

「用心深いんだな」

「初対面の相手を信じるほど素直ではないので」

約束するときは書面に残す。声を録音する。一度、彼女に裏切られたオレからのアドバイスだ。

「わかった。書面にしよう」

すぐにペンとインクを持ち出し、羊皮紙？　みたいなものに文を書き出した。

「これでどうだ？」

「こちらの文字は知らないので、持ち帰って検討してから答えを出します」

「商人だったのか？」

「しがない工房で働いていた凡人ですよ」

リーダーになったことはあるが、部署異動で一作業員に戻ったよ。

「それと、魔石の代金だ。もし、またオーグを狩ったら魔石を持ってきてくれ。オーグの魔石は需要があるんでな」

代金が入った革袋を受け取った。

「わかりました。次回、持ってきますよ」

「そうしてくれ。そのときはシエイラに声をかけてくれ」

わかりましたと席を立ち、一礼して部屋を出た。

「タカトさん。先ほどは失礼しました」

階段まで来ると、シエイラが駆け寄ってきてオレに謝罪した。根は真面目なのかな？

「いえ、こちらこそ失礼しました。何分、初めてなところで緊張してしまいました。仕事関係になったらよろしくお願いします」

オレも素直に謝っておく。人間関係がギスギスしていたら今後がやり難《にく》いからな。

「お詫《わ》びとお近づきの印にこれをどうぞ」

この世界にも飴《あめ》はあるのでお近づきの印としては手頃なものだろう。巨人の子供は取り合いになって大変だったけど。

「では、失礼します」

階段で別れ、スタングレネードにピンを戻してダンプポーチに入れた。

外に出て深いため息を一つつく。まったく、秩序があるんだかないんだかわからないところで立ち回るのは疲れるぜ。

さて。ラザニア村に向かうにはどちらに行けばいいんだと悩んでいたら、教会の前で寄付を呼びかけているのに気がついた。

「寄付するヤツなんていないのか？」

人の往来は多いが、寄付するヤツはまるでなし。神、人気ね～（笑）。

そんな人気のない神を信仰するヤツなど知ったこっちゃないが、オレ、募金している前を素通りできる勇気はなかったりするんです。

クソがと神を罵《のの》りながら銀貨を一枚出して木箱に入れてやった。

「おじさん、ありがとう！」

「偽善だ。感謝などいらないよ」

そう吐き捨てる。

だが、おれはまだ知らない。ここを通るたびに寄付することになるとは……。

◆◆ラダリオンは銃がお好き◆◆

夕方近くになってやっとラザニア村に帰ってこれた。ったく。街から遠いんだよ！

十キロちょいの道のりだったが、森の中を歩くより疲れた。冒険者ギルドと教会のことがあったから余計に疲れたぜ。

帰ってきたことを報告するのも億劫《おっくう》なので、村には入らず裏にある家に向かった。

「ん？　え？　家が変わってる!?」

家を出たときは小屋だったのに、帰ってきたら石組みの家に変わっていた。

ラダリオンが入れるドアとオレが入れるドアがあり、暖炉らしき煙突まで作られていた。

オレ用のドアから入るとそこは玄関で、左側に上に続く階段が。そして、ロミーの声が壁の向こうから聞こえてきた。

階段を上るとまたドアが。無駄に芸が細かいな。てか、巨人の手でよくここまで細かく作れるな。人間サイズの蝶番《ちょうつがい》とかどうつけたんだよ？　意味わかんねーわ。

ドアを開けると居間が広がっていた。

「あら、帰ってきたのね」

横から声がし振り向けば、巨人用の空間で奥様連中とラダリオンがお茶をしていた。

「オレがいない間に何があったんだ？」

「タカトから借りている道具があまりにもよくてね、仕事が捗《はかど》りすぎて時間ができたからあんたらの家を造り直したんだよ。まあ、居心地がよすぎてあたしらの溜まり場になっちゃったけどね」

「そ、そうか。まあ、好きに使ってくれ。オレらはほとんどいないしな」

奥様連中のおしゃべりの中に入る勇気はなし。ごゆっくりと言い残してセフティーホームに入った。

まずはシャワーを浴びて街でついた臭いを落とし、さっぱりしたら冷蔵庫からビールを出していっき飲み。くぅ〜〜、美味ぃ！

さらにもう一缶。飲み干したところにラダリオンが入ってきた。

「ロミーたちは？」

「夕飯だから帰った」

あ、夕方だったしな。いつまでもおしゃべりしてらんないか。

「ラダリオンも風呂に入ってこい。ちょっと早いがオレらも夕飯としよう」

「うん。いっぱい歩いたからいっぱい食べたい」

「じゃあ、デカ盛りハンバーグでいいか？」

「うん。ジョッキパフェも」

ジョッキパフェとはビールのジョッキにパフェを盛ったものだ。軽く二キロはあるヤツだ。

夕飯を済ませたら今日の報告会。まずはラダリオンから話してもらい、終わればオレのことを話した。

ラダリオンがどこまで理解できるかはわからないが、街や冒険者ギルドの概略図を描いてみせ、コミュニケーションを図った。

「明日はゴルグと話したらまた冒険者ギルドに行ってみる。ラダリオンは村周りのゴブリンを駆除してくれ」

「ロミーが紅茶欲しいって。あと、裁縫道具も」

裁縫道具か。ハサミとか針でいいのか？　小学校のときにやっただけだから何が必要かわからんよ。とりあえず裁縫セットを買っておくか。

「わかった。銃の手入れしてから調べてみるよ」

ベネリＭ４とＳＣＡＲ－Ｈをパーツクリーナーで煤を落とし、ウエスで拭いたら機関部に万能潤滑油５５６を振りかけた。

ラダリオンもベネリＭ４を酷使したようで掃除して棚にかけた。

「弾も結構使ったか？」

「うん。ここら辺のゴブリン、ちょこまかと動きすぎ。よく木にぶつける」

「やっぱ、食うもんを食ってるゴブリンは厄介だな」

この辺は材木用に植林したのか、まっすぐ伸びる木が植えてあり、長物を振り回すには向いていないか。

「なら、ＳＣＡＲ－Ｌの短いのを使うか？　サプレッサーとスコープがついているから長くはなるが、遠くから狙えば問題ないだろうよ」

安い５．５６㎜弾があった。一匹に三十発使っても損はないさ。

「うん。あれ使ってみたかった」

何か嬉しそうなラダリオン。ん？　ラダリオン、銃が好きなのか？

玄関からＳＣＡＲ－Ｌを持ってきてラダリオンに渡した。

いじっている姿を眺め、街の中で使える銃がないかと考えた。

タブレットをつかみ、サブマシンガンでよさげなものを探した。

「このAPC9－Kってのいいな。ポンチョの下に隠せそうだ」

短いサプレッサーとサイトをつけると三十万円を超えてしまうが、グロック19だけよりは心強い。生きるために買いましょう。

他にもマガジンやスリングを買い、取りつけて具合を確かめた。

◆◆家庭◆◆

目覚めたら筋肉痛になっていた。

「……すぐ筋肉痛になるってことは、まだ若いってことなのかね……」

だからって嬉しくもない。まだ脆弱《ぜいじゃく》ってことなんだからな。

湿布を体中に貼りつけ、少し柔軟体操をしてから朝飯の用意を始めた。

「そういや、ホテルのビュッフェって買えるのかな？」

タブレットでビジネスホテルの朝食ビュッフェを出したら千五百円で何十種類もの料理が出た。

マジか……。

これで食器まで出て値段は据え置き（？）。食器代は含まれていなかった。ちなみに食器はゴミ箱に捨てて十五日間放置です。

「……いい匂い……」

ラダリオンが匂いに釣られて起きてきた。正確な腹時計を狂わせるビジネスホテルの朝食ビュッフェ恐るべし。

「まずは顔を洗ってこい」

ユニットバスに向かわせ、床に出てしまった料理をテーブルに並べた。てか、多すぎくん！

全部は載らないので昼に回すとしよう。昼までなら腐ることもないだろうよ。

顔を洗ってきたラダリオンはすぐにテーブルにつき、次々と食べていく。昼に残るかな？

「……もう無理……」

でもなかった。半分以上残ってしまったよ。

残った料理にラップをかけ、冷蔵庫に入るものは……あ、入んないや。ぎっちり買ったしな。新しい冷蔵庫を買うか。

業務用冷蔵庫を買って設置。残った料理を詰めていった。

「ん？　パックのお茶も出たのか」

料理が多すぎて気がつかなかったわ。

「ジュースとかは出ないんだな」

機械まで一緒に出たら大変なことになるな。

「ラダリオン。今日は十時になったら開始しよう」

食べすぎて動けないラダリオン。しゃべるのも辛そう。頷くのも苦しそうだ。

何日か前に買ったソファーに座り、コーヒーメーカーで淹《い》れたコーヒーを飲んだ。

九時過ぎくらいに用意を始め、外に出るとロミーとそのお子さんが貸出品を壁にかけていた。

「おはよーさん」

「おや、いたのかい。声をかけても返事がなかったから出かけたのかと思ってたよ」

「ちょっと準備があって集中してた。貸出品の手入れ、ありがとな」

力があるとは言え、道具がたくさんあるから大変だろうよ。

「何、稼がせてもらってる上にお茶やお菓子をもらっているからね。このくらいなんでもないさ」

「それはよかった。ゴルグ、うちにいるかい？　ちょっと読んでもらいたいものがあるんだ」

てか、字が読めるのか？

「今は木を伐りに行ってるけど、昼には戻ってくるよ」

「そうか。なら、昼過ぎくらいに行ってみるよ。あ、パンが余ってるんだが、そっちで食うかい？」

「それは嬉しいね。あんたんところの食べ物はなんでも美味いからね」

「ゴブリンを生きたまま持ってきたら売ってやるよ」

貸出品の代行をお願いしているからここを開放してお茶も自由に飲んでもらっているが、無闇にくれたりはしない。今回はパンが無駄になりそうだからお裾分けだ。

「ゴブリンか～。あいつらちょこまか動くからね～」

「罠を仕掛けるのもいいぞ。一匹捕まえれば十日分のお茶になるぞ」

そう本格的に捕まえることは期待してない。小遣い稼ぎくらいで充分さ。

「そうだね。リゼんところの旦那に頼んでみるか。猪罠をよく作ってるしね」

リゼさんとやらの旦那さん。仕事を増やしてごめんなさい。

「では、お昼過ぎに」

そう言って家に戻り、セフティーホームに入ってラダリオンにパンを届けるようお願いする。

十時過ぎくらいにやっと腹が落ち着き、用意を整えたらバスケットにパンを入れて出ていった。

マガジンに弾を入れることで時間を潰し、軽く昼を食べたら外に出てゴルグの家に向かった。

「おう、タカト。久しぶりだな」

村の入口まで来たらちょうどゴルグが帰ってきた。

「ああ。久しぶり。ゴブリンが多くて帰るに帰れなかったよ」

「今の時期はゴブリンが多いからな。畑をやっているヤツは毎年嘆いているよ」

あの数じゃ嘆くだけでは済まなそうだけど。

「ここは、ゴブリンが増えやすい地なのか？」

「んー。おれがガキの頃からゴブリンの被害はあったが、こんなに出るのはここ数年だな」

弱いところにとか言っておいて、数が多いところなんて詐欺でしかないよ。

一緒に家に向かうと、いい匂いが漂っていた。

「あんた、お帰り。今日はタカトから柔らかいパンをもらったから肉のスープにしてみたよ」

子供たちが早く食べたいと騒いでいるよ。

「うるさくて悪いな」

「構わんさ。幸せな家庭って感じで羨ましいよ」

この世界で家族を築くのは難しいだろうが、いつかオレもこんな家庭を持ちたいものだぜ……。

◆◆巨人の教育◆◆

「ああ。冒険者ギルドマスターがタカトを準冒険者と認め、ゴブリン討伐を任せる。その他の依頼は拒否できるものとする、そうだ」

貸した虫眼鏡で羊皮紙の文面を読んだゴルグが内容を教えてくれた。

「それに効力はあるのか？　ギルドマスターより上が出てきて覆されたりしないか？」

「んー。ギルドマスターより上となると役人か貴族になるが、あの人なら大丈夫だろう。元金印の冒険者で、領主の妹と結婚してるからな」

無理矢理逃げなくてよかった。辺境伯を敵にするところだったよ。

「そうか、ありがとな。てか、ゴルグっていいところの出か？　文字が読めるなんてよ」

「親父《おやじ》が城で働いていてな、おれも街で暮らしていたんだよ。そのときに読み書き計算を教えられたのさ。まあ、おれは頭を使うより手を動かしているほうが好きだから職人になったけどな」

人に歴史あり、だな。

「もし、城に行くことがあるならおれの弟が働いている。おれの名を出せば力になってくれるはずだ」

「城に行くことにならないよう願うよ。厄介なことになりそうだからな」

自ら行くことはない。行くとすれば呼ばれたからだ。もうその時点で厄介事が待っていると言っていいだろうよ。

「まあ、信用できる人なら準冒険者になってもいいかもな」

「そうだな。ギルドとしてはタカトの存在は願ったり叶ったりだ。ゴブリンを狩るヤツは本当にいないからな」

被害が出てんだから予算を組んでやらないとダメだろう。ここの統治者、大丈夫なのか？

「ゴルグにやる気があるなら請負員にするぞ。木を伐りに行ったついでに二、三匹も殺せば充分な酒代となる。二十匹も殺したらもっといい道具が買えるぞ」

オレらはいつ帰ってくるかわからない。巨人の誰かが請負員となってくれるなら十五日縛りも延ばせるし、巨人が買えば巨人サイズになるはずだ。

「あんた、やりなよ！　仕事の合間ならやれるだろう」

オレらの話を聞いていたロミーが割り込んできた。あ、これは拒否できないヤツだ……。

「お、おい、何言ってんだよ！　ゴブリンを狩るのが面倒なことぐらいお前も知っているだろうが！」

「罠を作りなよ。タカト、教えてやってくれよ」

あらら。こちらに飛び火しちゃったよ。まあ、ゴブリンが駆除されたらオレにも金が入るから構わないけどよ。

「ラザニア村周辺にもゴブリンはたくさんいる。落とし穴や箱檻《はこおり》なり、やり方はいろいろある。ゴルグは弓を使えるか？」

ゴブリン相手なら本格的な弓はいらない。なんなら吹き矢でもいいんじゃないか？　あ、いや、スリングショットがいいな。あれなら作るのも簡単だし、弾は石でいい。少し練習すればゴブリンくらいには当てられるだろうよ。

「昔やったくらいだし、当てられる自信はないな～」

「それなら罠を仕掛けるとしよう」

前にやった落とし穴作戦を教えてやる。ラダリオンが掘れたんだから大人のゴルグが掘ればかなり広くて深い穴が掘れるはずだ。

手間なら他の男たちにも手伝わせたらいい。酒を報酬とすれば喜んで手伝ってくれるだろうよ。巨人も酒が好きで、よくオレから酒を買っているからな。

「誘《おび》き寄せるエサは残飯でいい。ないならこちらで用意するよ」

一キロの処理肉をラダリオンに持って出てもらえば四、五倍に増える。儲けの三割が入ってくるんだから用意くらいさせてもらうさ。

「ハァ～。わかったよ。仕事もそう忙しくないしな。手の空いてるヤツを集めて穴を掘るか」

「手伝うヤツにはオレがワインをご馳走《ちそう》するよ」

五百円で買える安いワインでもここでは最高級のワインとなる。飲み会を開いたとしても一万円に届くかどうかだろうよ。ツマミなんてバタピーで充分だ。

「それなら村の男全員が参加するぞ。お前が売るワインは極上なんだからよ」

「ゴルグが請負員となればゴルグにも買えるぞ」

「なんか、おれの仕事が増えるように思うのは気のせいか？」

やはりゴルグは賢い。まだ請負員の説明もしてないのに予想できるんだからよ。

「その分、嫁や子供に美味いものを食わせてやれ」

子供三人を育てるのが大変ってことくらい独身のオレでもわかる。嫁と子供を楽にさせてやりたいなら父親ががんばれ、だ。

「がんばっておくれよ、旦那様」

嫁のキスを嫌そうな顔で受け止めるゴルグ。爆発すればいいと思う（ニッコリ）。

「とーちゃん、おれもゴブリン狩りしたい！」

と、息子くんがゴルグにしがみついてきた。

「はぁ？　お前にはまだ早い。村から出れるのは十歳からだ」

「同じ歳のカルロは外に出てるじゃんか！」

「カルロは薪運びの手伝いで置き場までしか行ってないだろう」

そう諭すが息子くんは駄々をこねるばかり。子育てって大変なんだなぁ……。

「タカト、おれもゴブリンを狩りたい！　たくさん狩ったら飴が食えるんだろう？」

この子もラダリオンと同じで食欲で動くタイプなのか？　まあ、甘いものは滅多に食べられない。

ラダリオンがくれる飴でゴブリン駆除をしたいと思っても仕方がないか。

「十歳以下で外に出れる方法はないのか？」

「親と一緒なら村の周りくらいには出られるが、子供一人では死ぬだけだ。ここら辺は狼も出るからな」

「マルグ」

あ、息子くんの名前ね。娘はミミちゃん。下の子はロックくんだよ。

「さすがにいきなりは無理だから、まずはゴブリンを狩れる特技を身につけろ」

「……とくぎ……？」

まだ特技がわからん歳か。

「明日、いいものをやるよ。マルグでも使える武器だ。それを使いこなせたらゴブリンどころか狼だって倒せるぞ」

冒険者ギルドに行くのはまた今度でいいだろうよ。

「お、おい、タカト。危険なことは止めてくれよ。まだ何もわからない子供なんだから」

「わからないのならわかるように教えてやるまでだ。オレもマルグくらいの頃はじいちゃんに善し悪しを教わったからな」

オレ、じいちゃんっ子で、プレ〇テで遊ぶより外で遊ぶことが多く、スリングショットも作るところから教えてもらいました。

「まあ、悪さをしたら食事抜きか拳骨を食らわせたらいいさ。痛みを知らないヤツは碌な大人にならんからな」

元の世界なら虐待になるし、正しい教えとは言えないが、オレはそうやってじいちゃんから教わったからこそ、まっとうに生きてこれられた。もし、オレに子供ができたらじいちゃんのように教えるつもりだ。

「ハァ〜。わかったよ。マルグ。悪さしたら食事抜きに拳骨だからな」

マルグの頭を鷲《わし》づかみにして持ち上げるゴルグ。それに堪えられるマルグ。巨人、おっかねー！

◆◆弟子入り◆◆

次の日、少し早めにセフティーホームから出ると、うちの中にゴルグがいた。

「随分と早いな？」

「お前が出すワインが飲みたいと野郎どもにせっつかれてな。朝飯食う暇も与えられなかったよ」

「それは大変だったな。罪なことをした」

イヴにリンゴを食わせたヘビのようだな、オレ。

「そうだな。女たちはお茶。ガキどもは菓子。罪作りな男だよ」

罪になるなら女を惚《ほ》れさせて罪作りになりたかったよ。いや、モテない男の戯《ざ》れ言です。忘れてください。

「オレもいつまでここにいられるかわからんしな、空いている時間に果樹園を始めて美味い葡萄《ぶどう》を作るといい」

「……お前がいつまでもいてくれると助かるんだがな……」

「オレも定住したいが、ゴブリンを駆除しないと生きられない身だ。いなくなれば他に移るしかないんだよ」

いたらいたで、いなければいないでオレたちの暮らしは成り立たない。ゴブリン駆除がオレたちの人生である（泣）。

「まあ、先のことより今だ。昨日、話した通り、穴は二ヶ所。うちから離れたところに掘る。深さはゴルグが上がれないくらいだ。広さは任せる。道具は昨日のうちに出してあるから自由に使ってくれ。休憩時は水と菓子を出す。遠慮なく口にしてくれ」

「至れり尽くせりだな」

「そうか？　まあ、ゴブリンを大量に駆除できたら元は取れる。しっかり穴を掘ってくれ」

水はセフティーホームの蛇口から。菓子は一袋百五十円のを十袋。報酬のワインは輸入品の安いヤツ。一万円もかかってない。ゴブリン七匹も駆除できたら元は取り返せるさ。

「指揮はゴルグに任せる。何度も言うが、ゴブリンはゴルグが殺さないと報酬は入らない。お前以外が殺しても入らないから注意しろよ」

請負員のことは昨日説明したが、大事なことなので再度言っておく。

「まったく、面倒なことだ」

その面倒なことをやっているのがオレたちだ。その苦労を思い知るがよい。

「おはよう」

と、ラダリオンが自分の部屋から出てきた。まあ、ほぼ荷物置き場になっている部屋だけどな。

「ああ、おはようさん。今から駆除に行くのか？」

「うん。たくさん食べないといけないから」

「気をつけるんだぞ」

ラザニア村周辺はゴルグにやらせるから少し離れた場所に行ってもらうのだ。

「あ、マグルのオヤツ」

と、大袋入りの飴をテーブルに置き、ゴブリン駆除へ出かけていった。いってらっしゃい。

「いい子だな」

「ああ、そうだな。オレにもしものことがあったら頼むよ」

「バカが。そんなこと言うな」

と、指で突っ突かれてしまった。手加減しているんだろうが痛いから止めろや。

「……まあ、そのときは任せろ。じゃあ、穴を掘ってくるよ」

そう言うと席を立って出ていった。ツンデレか。

オレも外に出てゴルグを見送っていると、ロミーとマルグがやってきた。

「おはようさん。まあ、うちに入ってくれ」

巨人と話すには同じ高さにならないといけない。ほんと、テーブルの登り降りが大変だよ。

お茶はロミーにやってもらう。うちはセルフなので。

「てか、なんでマルグは緊張してるんだ？」

いつもの騒がしさはどこへやら。借りてきた猫のように大人しいよ。

「そりゃ、あんたんとこに弟子入りするからね。緊張もするさ」

「弟子入り？」

何言ってんだ、この奥様は？

「ゴブリンを狩るためにタカトから教わる。生業としている者から教わるのは師弟関係が結ばれたと同じものさ」

いやまあ、そうだと言われたらそうだが、オレ的には近所の子供に遊びを教える感覚なんだがな……。

「ここでは六歳でも弟子入りするのか？」

「まあ、八歳くらいから家の手伝いを始めて、十歳から弟子入りが普通だね。家業を継ぐなら六歳からでも始めるが、うちは代々やってる稼業じゃないし、やりたいことがあるならやれって感じだね」

「自由だな」

職業選択の自由があって何よりと言っていいかわからんが、それはそれで厳しいよな。こんな時代じゃやりたいことなんて、そう簡単に見つけられるものじゃないだろうしよ。

「おれ、冒険者になりたい。いろんな場所に行ってみたいんだ」

おずおずと自分の夢を語るマルグ。六歳の憧《あこが》れと笑うことはしない。夢を見るのも、夢に破れるのも人生に必要なことだ。オレだって子供の頃はハンター×2になりたいとか言っちゃってたからな。

「そうか。なら、いろいろできないとダメだぞ。冒険者で食っていこうとしたら読み書き計算ができないとダメだし、体力がないのもダメだ。面倒なこともしないとならない。マルグはそれでもなりたいか？」

マルグが理解できたかわからないが、やると言うなら自分で決断しなくちゃならない。冒険者になれば選択と決断の連続だろうからな。

「……う、うん。なりたい……」

「うん。よく言った。偉いぞ」

頭を撫でてやれんので、マルグの決断を肯定してやると、恥ずかしそうにロミーの後ろに隠れてしまった。

「ロミー。マルグにナイフを持たせていいか？」

「構わないが、子供にそんな高価なものを持たせるのかい？」

「そんな高いものは持たせないよ。ゴブリン一匹分にもならない安物さ。まあ、刃物は刃物だ。ナイフで悪さしたら報告する。拳骨でも食らわせてやってくれ」

オレじゃ叱ることしかできんからよ。

「ああ、そうしておくれ。拳骨を食らわせてから軒先に吊《つ》るしてやるからさ」

マルグを見れば経験があるのか青くなっている。

虐待という概念がない時代。概念がある世界で生まれてよかった。あと、元の世界にいる母上様。

優しく育てていただきありがとうございます。親孝行できないバカな息子をお許しくださいませ……。

◆◆心に火を◆◆

気を取り直してマルグに千円の折り畳みナイフを渡した。もちろん、ラダリオンに出してもらったので巨人サイズです。

「安物だから乱暴に使って壊しても構わないし、折れても気にしなくていいぞ。と言うか、マルグはナイフを使ったことあるのか？」

「石刃ならある」

石刃？　黒曜石のようなものか？　どんなものだ？

「これだよ」

と、ロミーがスカートのポケットから平べったい石を出して見せてくれた。

「そんなもので何が切れるんだ？」

まあ、巨人が使えば大抵のものは切れるだろうがよ。

「ちょっとしたものを切ったり芋の皮を剥いたりするね」

巨人の手で芋の皮が剥けるんだ。人で言えばピーナッツの皮を剥くようなもんだろうに。

「思うんだが、巨人が料理するって大変じゃないのか？」

巨人サイズの野菜があるとは思えない。ってことは人間サイズの野菜を調理するしかないはずだ。腹を満たすための量となると凄まじい作業になるはず。想像するだけで頭が痛くなってくるよ。

「そこは人間の手を借りるね。あたしら巨人がいることで凶悪な魔物は寄ってこない。精々、ゴブリンや狼くらいだね。そのせいでここら辺は農作物が育てやすい。あたしらが飢えないくらいにね」

なるほど。共存ってわけか。ここは、人間と巨人がいい関係を築いているんだな。

「下処理は人間たちがやってくれ、あたしたちは力仕事や農作業で返してんだよ」

「だから石刃で充分なんだな」

「まーね。けど、あたしもナイフがあれば他にもできることがあるんだけどね」

巨人が持てるサイズとなればとんでもない金額になるだろう。主婦が買えるものじゃないか。

「まあ、ゴルグがゴブリンを駆除したら持てるようになるさ」

「そうだね。旦那にはがんばってもらわないと」

嫁に尻に敷かれる旦那。それもよき夫婦関係である。独身者にはよーわからんけど。

「マルグ。とりあえず木でも削ってみろ」

「わかった」

六歳ならそのくらいできるだろう。と思ってたら予想以上に上手く使いこなしている。巨人は子供まで器用なのか？

「さすがゴルグの息子っていったところか」

「父親のやるところを見てるから覚えたんだろうね」

これならスリングの土台が作れそうだ。

Y字の枝を見つけてきて作り方を教えると、スイスイと削っていき、これまたあっさりと仕上げてしまった。

「そう難しくないとは言え、六歳とは思えん器用さだな。職人になったほうが大成するんじゃないか？」

「我が息子ながらここまで器用とは思わなかったよ」

「おれ、冒険者になりたいんだけど」

そうだな。なりたいものになるのがマルグの幸せだったな。

この世界にまだゴムはないのでタブレットで買ったものを使い、インシュロックでゴムを固定させて完成だ。

「これはスリングショット。この伸びるゴムってのを使って小石を飛ばす武器だ。巨人が使うならゴブリンの頭を吹き飛ばしてしまうかもな」

まずオレがデモンストレーションをしてみせた。

的は五百ミリのペットボトル。距離は十メートル。弾は小石。狙いを定めてゴムを放した。

見えない速さで飛んでいき、ペットボトルを吹き飛ばした。

よし！　二十年振りだが腕は衰えてない。これなら二十メートルでも当てられそうだ。

「タカトスゲー！」

どうやらマルグの男心に火をつけたようだ。

「小石だけじゃなく、泥を丸めて火で焼くのもいいし、こういう鉄の玉を使うのもいい。獲物によって換えるのがスリングショットだ」

まあ、スリングショットの弾など安いから買ってもいいのだが、まずは現地調達するとしよう。

「お、やってるな。マルグはどうだ？」

マルグにやらせていると、十時くらいにゴルグたちが休憩しに戻ってきた。

「ああ。お前の息子は才能あるよ。ナイフの扱いも上手いし、スリングショットもなかなかだ」

「スリングショット？」

マルグのを見せてやり、デモンストレーションをしてやる。

「おー！　凄いな！　おもしれー！」

と、大きな子供たちの心も燃やしてしまったようだ。休憩そっちのけでスリングショットに興じているよ。

「まったく、いつまでもガキなんだから」

そう言ってやるなよロミーさん。男が男である証明なんだからさ。

「土台はすぐに作れそうだが、この伸びるのはなんだ？　獣の腸か？」

「南国の木の樹液から作るものだが、ゴブリン駆除の報酬で買ったものだ」

大した知識もないのでそれ以上は訊かないでください。

「てことは、おれも買えるわけだ」

「ああ。ゴブリン一匹殺せば二十は買えると思うぞ」

ゴムなら相当な量（長さか？）が買えるだろうよ。

「いくつか残っているから仕事終わりにやるよ」

だからしっかり休憩して穴を掘れ。すべてはゴブリンを駆除してからだ。

ロミーにも手伝ってもらって野郎どものケツを蹴飛ばしてやった。

「マルグ。昼までひたすら練習だ」

「わかった！」

オレも初心者に負けてられないとスリングショットを練習。昔の勘を取り戻していった。

「そろそろ昼だよ」

おっと。もう昼か。童心に帰って集中しすぎちゃったよ。

「よし。マルグ。昼を食ったら小石集めと的作りだ。オレはゴルグたちの様子を見に行くから一人でやってろ」

「わかった！」

やる気満々でよろしい。

そこでマルグたちと別れ、家に入ってからセフティーホームへ入った。

◆◆また長い夜が来た◆◆

昼飯のあと、落とし穴の様子を見に向かった。

「……大人の巨人が穴を掘ると凄まじいな……」

家から三百メートルほど離れた場所に、縦横三十メートル、深さ約十メートルの大穴ができていた。

「巨人が温厚な種族でよかったよ」

これで好戦的だったら人間はとっくに滅んでいるところだ。

「タカト。こんなもの？」

穴を覗いていたらゴルグに声をかけられた。

「あ、ああ。充分だよ。これならゴブリンが上がってくることもないだろうよ」

上がってこれるゴブリンがいたら速行で戦略的撤退をするわ。

「念のため、尖った枝を壁に刺しておいてくれ」

この落とし穴はゴルグ主導で行っているんだからゴルグに報酬が入るはず、ってことを確認するための作戦でもある。その辺、曖昧《あいまい》なんでな。

ゴルグたちが枝を刺している間にゴブリン通路を確認し、周辺に処理肉を適当にばら撒いた。

「処理肉はラダリオンが帰ってきたら放り込んでもらうよ」

上がってきたゴルグにそう伝えた。

「本当にこれでゴブリンがかかるのか？」

「かかるさ。もうゴブリンが肉に集まり出しているよ」

察知範囲内のゴブリンが動き出している。気の早いゴブリンは夜になる前に落ちてしまうかもな。

「次の穴も夕方には終わりそうか？」

「ああ。夕方には終わらせるよ。スリングショットを作らないといかんからな」

やる気を燃やしておいてなんだが、そこまで作りたいものか？　飛ばす武器なら弓矢があるってのによ。

「報酬のワインはいいのか？」

「飲みながら作る」

とのことでした。好きなことには貪欲な種族だよ。

ゴルグたちが次の穴に取りかかり、本当に夕方までに完成させてしまった。

手伝ってくれた男たちに報酬のワインを三本ずつ渡すと、嬉しそうに受け取って、スキップでもしそうな勢いで帰っていった。

「タカト。明日も手伝いを呼ぶか？」

「いや、いらんよ。たぶん、明日には二、三百匹は落ちていると思うから。ゴルグ一人で埋めてもらう」

「……そりゃ重労働だな……」

「がんばれ」

としか言ってやれないオレを許してくれ。

「タカト、ただいま」

と、ラダリオンが帰ってきた。

「ご苦労さん。疲れて帰ってきたところ悪いが、穴に処理肉を放り込んでくれ。今日はすき焼きにするから」

「わかった――」

疲れなど吹き飛ばしてセフティーホームに入り、買っていた処理肉を運び出して穴に放り込んだ。すき焼きは魔法の言葉だな……。

ゴルグとはそこで別れ、家に帰ってセフティーホームに。すき焼きの用意を済ませ、少し食べたらオレは外に出た。

「こりゃ、三百では済まなそうだな」

ほんと、これだけの数、いったいどこにいたんだよ？　てか、これだけの数を支えるだけの食料があるのか？　ここ、どんだけ豊饒《ほうじょう》なんだよ？

いや、処理肉に集まってくるから食料不足なのか？　それとも何か別の要因で増えているのか？　なんなんだ？　ファンタジーな世界は予想もつかないよ。

今の段階で四百、いや、五百は超えているか？　まさかまた王が立ったってことはないよな？

ブラックコーヒーを飲みながら集まってくるゴブリンの気配を探っていると、気の早いゴブリンが穴に落ち始めた。

「ネズミみたいな習性を持った害獣だよ」

一時間もしたら穴に嵌るゴブリンも少なくなった。

「……王が立った感じはしないな……」

廃村のときのような統一された動きはしてなかった。個々で動いたって感じだ。

二時間過ぎると、さすがのゴブリンも異変に気づいたようで、穴の周辺をうろうろし始めた。

「そろそろ行ってみるか」

ヘルメットを被り、家の外に出ると真っ暗だった。夜の森は怖いな。

「さあ、三千ルーメンの力を見せてもらおうか」

ヘルメットにつけた三千ルーメンのヘッドライトをオンにした。

「メッチャ明るいな」

暗いところでつけたから余計に明るく感じるよ。

本当ならナイトビジョンを買おうと思ったが、その値段に断念。別にゴブリンを一人で駆除をするわけじゃないんだからと、ヘッドライトに思い直しました。

APC9－Kを持ち、穴に向かった。

「この明るさは凶器だな」

三千ルーメンを正面から浴びたらどこかの大佐みたいに「目が～目が～」ってなるぞ。

落とし穴の周りをウロウロしていたゴブリンが明かりに気がついて隠れるが、オレには意味はなし。隠れているところに9㎜弾を放ってやった。

「うん？　穴に落ちたゴブリンが圧死したか？」

いきなり報酬が跳ね上がった。

オレに全額入ったわけじゃないってことは、ゴルグに入ったたってことだ。請負員じゃなくても請負員が関わっていればその者に入るってことか。そこら辺は柔軟になってんだな。

穴を覗いてみると、ウジャウジャと入って蠢《うごめ》いている。気持ち悪っ！

「ん？　第二波か？」

たくさんの気配がこちらに向かってくるのを感じた。

「ゴブリン、変な電波とか出してないよな？」

APC9－Kでは無理そうなので、ホームから軽機関銃――MINIMI－Mk3と換えの二百発入りマガジンをつかみ、近くの木に登った。

「また長い夜になりそうだ」

三十分すると、数百のゴブリンがやってきた。

◆◆疲れた……◆◆

なんだろう、この臭い？　ワキガのような嫌な臭いが段々と強くなっている。

まあ、ゴブリンが発しているんだろうが、これまでこんな臭いなんてさせなかった。廃村に現れたのは別の種なのか？

「クソ！　吐きそうだぜ！」

両手が塞がっているのでマスクをすることもできないし、立ち止まることもできないので小さく息を吸って堪えた。

暗闇の中でゴブリンどもが穴を通って穴に落ちていくのがわかる。

気配では三メートルは埋まっている感じだろうか？　もうちょっと深くてもよかったかもしれないな。

落とし穴からギーギーと苦しそうに鳴いているのに、ゴブリンは次から次へと落ちていってる。

……もしかして、この臭いがゴブリンを引き寄せているのか……？

真相はわからないが、もしこの臭いが集まってくる要因なら落とし穴作戦は控えたほうがいいだろう。特に人がいるところでやるものじゃないわ。

臭いに堪えに堪えて一時間。やっと勢いが収まってくれた。が、落とし穴に落ちなかったゴブリンだけでも数百匹がうろちょろしていた。

さらに三十分待ち、木からズルズルと下りる。じいちゃん、木登りを教えてくれてありがとう。

軽と言いながらなかなか重いMINIMI－Mk3と二百発入りの弾倉箱を持って登るのも下りるのも至難の技だ。それができるオレ、スゲーんだぜ（ドヤ）！

MINIMI－Mk3と弾倉箱を地面に置き、マスクをしてヘッドライトをオンにする。

眩《まぶ》しさに逃げ惑うゴブリンども。MINIMI－Mk3を持ち上げて、その背中に鉛玉を食らわせてやった。

買って使い方は確かめたが、撃つのはこれが初めて。練習だと思って気張るな、オレ。

連射で撃っていき、二百発があっと言う間になくなってしまう。

「密集してないと無駄弾ばかりになるな」

急いで弾倉箱を交換した。

「いつの間にか増えてんな」

クソ。撃つのに夢中で気配が増えていることに気づかなかったよ。

隠れているのは無視して気配が多いほうに撃ちながら進むが、二百発はあっと言う間になくなる。

これならP90にすればよかったぜ。

セフティーホームに入り、MINIMI‐Mk3を置き、ペットボトルに手を伸ばして水を一気飲みした。

こんなものを持って戦う兵士の凄さを痛感させられるな。よく戦えるよ。

「タカト」

物音で起こしてしまったのか、ラダリオンが玄関にやってきた。

「起こしてごめんな。すぐ用意して出るから寝てていいぞ」

ゴブリンは粗方《あらかた》片付けたし、ベネリM4でいいだろう。

鳥撃ち用の弾をダンプポーチに入れるだけ入れた。カーゴパンツのポケットにも入れておくか。

重っ！

防臭マスクに替えて外に出た。

隠れているゴブリンを一匹一匹確実に駆除していき、弾がなくなる頃には気配がまばらになってきた。

弾を補充しに戻るかと思っていると、明かりが近づいてくるのがわかった。ラダリオンか？　松明《たいまつ》の明かりではなくヘッドライトの明かりだ。まったく、眠っていていいのに。

不利と感じたらセフティーホームに入ればいいだけ。あとは朝になったらゴルグに掃討してもらえばいいだけなんだからな。

「ん？　ゴルグまで来たのかよ」

気づかなかったが、落とし穴のところに向かうと、ゴルグと男たちが集まっていた。

「何があった⁉　村まで音が聞こえたぞ！」

三百メートルも離れているし、木々で音が遮られると思ったが、そうでもなかったようだ。近所迷惑になってしまったな。

「うるさくして悪かったな。思いの外、集まりすぎた。落とし穴から溢れたものを駆除していたんだよ」

ラダリオンに抱えてもらい、ゴルグに説明した。

「おい、周辺を探れ！」

一人の男が叫ぶと、男たちが松明を持って闇の中に散っていった。

「ゴルグは穴を埋めろ。この臭いがゴブリンを引き寄せるみたいなんだ」

そのつもりでスコップを持ってきたんだろう。さっさと埋めてくれ。

「わ、わかった。この臭い、堪らんな」

落とし穴の周りに積んだ土にスコップを刺し、勢いよく穴を埋めていった。

しばらくして上前が入ってきた。

大量に入ってきて何匹だかわからないが、埋め終わる頃には七十万円がプラスされた。

……ざっと計算して五百匹は落ちた感じだな。

次の穴を埋めていると、朝日が出てきた。

「徹夜しちまったな」

まだ興奮しているのか眠くはないが、体は凄くダルい。あー風呂に入ってビール飲みてーよ。

太陽が完全に顔を出し、落とし穴は完全に埋められた。計百五十万円がプラスされた。ここからまた弾代やなんやで消えるのだから百万円のプラスと見ておこう。

「千二百匹はいた感じだな」

損にならなくて本当によかったよ。

「まさかこんなにいるとはな」

さすがのゴルグも一人で埋めるのは堪《こた》えたのだろう。大量の汗を流していたよ。

「ゴブリンは集まりすぎるとこんな臭いを出して仲間を引き寄せるんだろう。やるんなら村の側じゃなく、山の中でやるとしよう」

「こんなに集まると知ったら二度とやらんよ。と言うか、こんなにいたことに驚きだよ。まだいるのか？」

「何十匹かいるが、心配する数じゃない。オレたちが下がれば逃げるだろうよ」

探知内にはちょこちょこいるが、気配は怯《おび》えている。そう警戒するものじゃない。

「ラダリオン。悪いがうちまで運んでくれ。ゴルグ、あとは任せる」

長い夜は終わったが、これからオレは長い眠りにつかせてもらいます。って、これじゃ永眠するみたいだな。

まあ、なんでもいいやと家に帰った。

7　またダメ女神

「パンパカパーン！　五千匹突破おめでとー！　歴代最速の駆除数だよ～！　ぴゅーぴゅー！　ぱふぱふ～！」

シャワーを浴び、さっぱりした気持ちでビールを飲み、おだやかに眠りについたらこれである。なんの悪夢だよ……。

「……なんだよ、いったい……？」

また会ったら文句を言ってやろうと思ったが、こうして会うと消えて欲しいと強く思ってしまうぜ。

「まあまあ、そう言わないの。予想外の功績を讃えに来たんだから」

予想外なんていらねーんだよ。わたしの思った通り、ってくらい言えや。

「ご褒美に元の世界に帰してくれるのか？」

それだったら跪《ひざまず》いて感謝してやるよ。

「あ、それ無理。孝人さんはもう死んだことになっているので。お葬式《そうしき》も無事終了。親御さんにはわたしから香典として宝くじ当選を贈っておきました」

その気遣いをこっちにも贈って欲しいよ。まあ、両親が幸せでいてくれたら何よりだがな。親孝行なんてできない身なんだからな。

「それで、なんなんだよ？」

オレを不快にさせるために現れたのか？　そうだったらこの世界のヤツに女神はクソだと広めてやるからな。

「広めてもいいですけど、あの世界で広まっている神は人間の都合のいいように創られた神。こちらとなんの関わりもありません。宗教関係から睨《にら》まれるだけですよ」

宗教なんてどこも同じか。あの世界で神に祈ることなんて絶対にしないとここで誓うよ。

「まあ、そんなことより予想外の成果を出したので孝人には特別ボーナスを与えましょう。この箱の中からクジを五つ引いてください。どれを選んでも駆除ライフを豊かにしてくれますよ」

そんな悪夢のようなライフ望んじゃいねーんだよ。

「てか、五つもとは破格だな」

普通、一つじゃねーの？

「ええ。一年で千匹を駆除した人は何人もいましたが、半年で五千匹を駆除できたのは孝人さんが初。これからを期待して千匹倒す毎にクジ一回引ける権利を与えましょう。タブレットにクジを引けるアプリを追加しておきます。六千匹になったら引いてみてください」

千回で一回か。地道にやれば二ヶ月に一回は引けるか？　てか、クジってよりガチャだな。

まあ、とりあえず箱に手を突っ込んでクジを引いた——ら、なんかシールが出てきた。なんだ？

「それは七十パーセントオフシールですね。三十個まで使えます」

スーパーの値引きシールかよ。と言うかどんなチョイスだよ。いや、悪くはないけどさ。

祝・5000匹突破!!

次を引くと、錠剤っぽい小瓶だった。

「それは回復薬ですね。一錠で切り傷程度なら一瞬で治ります。骨折なら八錠も飲めば完治しますね。筋肉痛にも病気にも効果ありです」

これはありがたい。買える薬では限界があるだろうからな。

三回目はダンプポーチだった。

「それはセフティーホームにあるものを取り寄せられるものですね。名前をつけるとしたらアボートポーチですかね？　まあ、ポーチの口から出せるものしか取り寄せられませんがね」

「魔法の道具、ないんじゃなかったっけ？」

魔法の道具はまだ発明されてないって言ってなかったっけか？

「魔法ではなく科学の力で動く転移装置です。その世界で三度目に発展した種族が発明したものです」

魔法はNGでも科学ならOKってか。意味わからんわ。

まあ、なんであれ、取り寄せられるのは助かる。このサイズならマガジンを取り寄せられるからな。

四回目は腕輪？　だった。

「それはラダリオン専用ですね。それをつけて腕輪を一周指で撫でると小さくなり、もう一度撫でれば元に戻れます。それも科学です」

まるで突っ込むなと言わんばかりの口調である。ハイハイ……。

で、最後は眼鏡だった。オレ、視力1．5だよ。

「それは暗視、熱源探知ができる眼鏡ですね。了解です」どういうものかは使って確かめてください」

つまり、科学ですね。了解です。

「では、孝人さん。これからもゴブリン駆除に励んでください。五年生きられたら一億円相当のボーナスを与えますのでがんばってくださいね」

と、セフティーホームのマットレスの上で目覚めた。

「……夢、ではないようだな……」

毛布の上にクジの景品（？）が載っていた。

マットレスから起き上がり、落ち着くために祝杯用に買った高級ウイスキーをラッパ飲み。まったく酔えなかった。

「ハァー。またゴブリン駆除が始まるのか」

ハハっと乾いた笑いが口から漏れてしまった。

しばらく佇《たたず》んでいると、ラダリオンがやってきた。

装備をつけているところからしてゴブリン駆除に出ていたようだ。

「どうかした？」

オレの様子が違うことに気がついたようで、心配そうに近寄ってきた。

「また、ダメ女神に呼ばれたよ」

ラダリオンにはすべてを隠すことなく教えてあるので、ダメ女神との会話とクジのことを話した。

「あたし、小さくなれるの？」

ラダリオンにはそれが大事なようだ。まあ、ダメ女神がどうのこうの説明しても理解できんだろうよ。

「ああ。試してみろ。外はどうなっている？」

「騒いでる」

そうか、とだけ返す。ラダリオンに細かい説明は無理だからな。

まあ、ゴルグに任せたらいいさ。

「昼にするか」

オレは食欲ないが、ラダリオンの腹の虫は騒いでいる。今日は牛丼メガ盛りと二キロカレーを買ってやった。

オレはさらに高級ウイスキーを買って、この鬱屈《うっくつ》を発散させました。

番外編　ラダリオン

あたしはいつもお腹を空かせていた。

食べても食べてもお腹が膨れたことはない。いつもお腹を鳴らしてばかりだった。

そんなあたしをとーちゃんもかーちゃんも怒鳴っていた。

無理もないと自分でも思う。大人以上に食べても足りず、盗み食いをしていつも怒鳴られているんだから……。

あたしたちはマーダ族。神の名前を持つ巨人だ。

どこか一ヶ所に住むことはなく、食料を求めて旅から旅の日々。大人たちについていくのがやっとのあたしにはどこを歩いているかなんてわからない。ただ、食べられるものを探すのでいっぱいだった。

食べられるものはなんでも食べた。草、虫、木の根、なんでもだ。不味いけど、お腹を満たすほうが大切だった。

何度もの夜と朝を繰り返すが、あたしのお腹が膨れることはなかった。親の手から離れ、自分で狩りをするけど、お腹が空いたままではゴブリンだって狩れない。葉の裏にいる芋虫を食べるばかりだ。

たまに大人たちが狩った獲物を食べさせてもらうが、一口か二口。余計にお腹が空くばかりだった。

「ラダリオン！　また盗み食いしやがって！」

荷物から芋を抜いたのがバレてしまった。

「お前というヤツは！」

力いっぱい殴られた。でも、いつものこと。痛いけど、空腹ほど辛くはない。

……でも、情けなくて仕方がなかった……。

「盗む暇があるなら自分で探してこい！」

「……うん……」

この辺に食べられるものなんてないが、ここにいても殴られるだけなので探しに出かけた。

大人たちについていくだけだから、ここがどこかわからない。今年は雪が降らなかったから暖かいところには行かなかった。たぶん、シーナギと呼ばれる地のはずだ。

「……何もないな……」

食べられる匂いはまったくしない。

「……ゴブリンはいるのにな……」

あまり食べたくなけど、いざとなったら食べるしかない。あいつら不味いし。

暗くなるまで探し、なんとか食べられそうな草は発見できた。

「ミジかい。まあ、ないよりはいいね」

草をかーちゃんに渡した。

たぶん、それはあたしの口には入らない。盗み食いした分として他に回されるんだろう。

「うるさいね！　水でも飲んで眠ってしまいな！」

お腹が空いてとても眠れたものじゃないけど、起きていてもお腹が空くのだから水を飲んでお腹を膨らませた。

「……お腹空いたよ……」

せめて夢の中ではいっぱい食べたいと眠りについた。

でも、お腹が空いて、森をさ迷う夢しか見れなかった。

朝起きて、また水を飲む。きっとわたしは水でできているんだろうな。

「何か探してきな。明日、別の場所に移動するから」

かーちゃんにそう言われ、また森の中に入った。

昨日も探しているから何もないのはわかっている。けど、探さないと怒られる。見つけないとお腹は満ちないのだ。

「ん？　鹿の臭いだ」

今日は運がいい。鹿なんて最近見てなかったのに。

切れ味のない石斧を握り締め、鹿の臭いを追った。

なんとか探ると、鹿の群れがいた。

本当に今日は運がいい！

静かに近寄り、群れの中心に向けて石斧を投げた。

「よし！」

五匹くらい石斧に当たって仕留められた。

巨人のあたしたちには小さいが、五匹も仕留めたんだから一匹くらいはもらえるはず。

鹿を抱えて戻り、かーちゃんに見せた。

「獲《と》ったよ！」

「チッ」

褒めてもらえるかと思ったら、なぜか舌打ちされてしまった。

……な、なんで？　鹿を五匹も仕留めたのに……。

泣きたくなったが、泣くと殴られ、食事抜きにされてしまう。必死に我慢した。

我慢して待っていると、いい匂いがしてきた。

脚一本もらえるかな？　なんてわくわくして待っていたら骨が入った汁だけだった。

……こ、これだけ……？

「嫌なら食うんじゃないよ」

取り上げられそうになったので、慌てて皿を持って森の中に逃げた。

「……美味しい……」

食べるところなんてないけど、久しぶりの美味しいものだった。

「……もっとがんばろう……」

美味しいものを食べるために。

そんな毎日を送り、暖かくなってきた頃、とーちゃんに連れられて一族から離れた。

「ここには熊が多いそうだ。探すぞ」

熊なんて狩ったことないけど、巨人のあたしたちなら枝で叩けば倒せる生き物で、塩をかければそこそこ美味しく食べられる。自分で狩れば一匹は食べさせてもらえると必死に探した。

けど、夜になっても熊を見つけられることはなかった。それどころかとーちゃんとはぐれてしまった。

「……捨てられた……？」

しばらく佇んでいたけど、ようやく自分が捨てられたんだと悟った。

暗い森の中でしゃがんでいると、どこからか生き物を焼いた臭いが漂ってきた。

「……これは、ゴブリンが焼けた臭いだ……」

ゴブリンは不味くて食べられたものじゃないけど、毒はない。不味いのをがまんすればお腹を満たしてくれる。

臭いを辿って進むと、人間の村に出た。

けど、ゴブリンはまる焦げになって食べられたものじゃなかった。さすがに炭は食べられない。がっかりと崩れ落ち、そのまま眠ってしまった。

何か音がして目覚めると、人間がいた。

人間を見たことはある。話したことはないけど。

男の人間はあたしに驚いたけど、お腹が空いたと言ったら美味しい果物をくれた。

人間はタカトと名乗り、ゴブリンを狩ることで生きているそうだ。

あたしのことも訊かれたけど、捨てられたとは言えず、はぐれたとだけ答えた。捨てられたと言えないのが悲しかった。あたしはいらない子と思いたくなかった。

もっと食べたいと伝えると、タカトはあたしをゴブリン狩りに誘ってくれた。ゴブリンをたくさん狩るとお金がもらえて美味しい食べ物が買えるそうだ。

食べられるならやると答えると、どこからか女の人の声がした。

タカトが言うには女神の声であり、タカトをゴブリン駆除員にした存在なんだって。

……じゃあ、タカトは女神の使徒なんだ……。

セフティーホームってところに入ると、タカトはお腹いっぱい食べさせてくれ、お湯で体を洗わせてくれた。それどころか綺麗な服も与えてくれた。

あたしは理解した。あたしはタカトと出会うために生まれたんだって。

タカトは何も知らないあたしを巻き込んだことを気にしていたが、あたしはラダリオン。神の槍。いや、タカトの槍だ。

まあ、タカトからもらったものは剣や銃といったものだけど、タカトの敵を払う槍なのに違いはない。

いっぱい食べていっぱいゴブリンを狩る。いや、駆除する。

ゴブリンの臭いはわかる。剣の扱いも銃の扱いもがんばって覚えた。

「ラダリオン、なんか大きくなったな」

セフティーホームでいっぱい食べていたらタカトが優しそうに笑って言った。

「うん。毎日いっぱい食べられるから」

最初に買ってもらった下着や服は着られなくなったけど、タカトは嫌な顔せず新しい服を買ってくれた。

お金がなんなのか知った今、あたしに使ったお金はとんでもない額だとわかる。なのに、タカトは怒ったり怒鳴ったりしない。当たり前のように買ってくれたのだ。

「ラダリオン。準備はいいか？」

新しく買ってもらった銃――ＳＣＡＲ－Ｌを持ち、弾を装填してレバーをセイフティに移した。

「うん。万全」

「よし。今日もゴブリンを駆除するぞ」

タカトがそう言い、セフティーホームを出た。

「あたしはタカトの槍。ラダリオン。タカトの敵はあたしが駆逐する」

そう呟いてあたしもセフティーホームを出た。

あとがき

まず、この本を手に取っていただいた方々に感謝です。

あとがきを書くのが初めてで何を書いていいかわかりませんが、この物語はスーパーの帰りに思いついたもの。ノリで書いたものでした。

思いついたものとは言え、最初の一話に今後の物語の流れを突っ込みました。

女神然とした女性は自分を女神とは断言してないとか、魔王を倒す者は勇者でなく強い者とかいろいろ。とあるシーンを書きたくて始めました。

あとは読んで確かめてください。お願いします。

それとこの物語はウェブ小説投稿サイトに公開しています。そちらも読んでもらえれば幸いです。

思いつきで書き始めて、いろいろ詰め込んだ物語だからか、毎日投稿できています。それ以上にたくさんの方々に読んでもらえているから続けられています。本当にありがたいことです。読んでもらえる。これに勝る喜びはありません。

この本が出る頃には六百話は超えている……はず。毎日投稿できてたらいいな〜。そのときの自分、ちゃんと書いてろよ。でも、ダメだったらごめんなさい。

商業作はこれで二作目。スローライフ系の物語で本にしてもらえました。何かは名前で調べてください。

この物語がどこまで続くかはわかりませんが、また自分の本棚に自分の作品が並ぶ。それだけで嬉しいものです。

タカトがどうなるか、ラダリオンがどうなるか、さらっと出したキャラがどうなるか、読んでくださる方々の心を躍らせる物語になるよう書いていきたいと思います。

最後に。この本に携わった方々に感謝です。

タカハシあんより。皆様に幸あれ。

BKブックス

ダメ女神からゴブリンを駆除しろと命令されて異世界に転移させられたアラサーなオレ、がんばって生きていく!

2023年8月20日　初版第一刷発行

著　者　タカハシあん

イラストレーター　ゆきうなぎ

発行人　今 晴美

発行所　株式会社ぶんか社
〒102-8405　東京都千代田区一番町29-6
TEL 03-3222-5150（編集部）
TEL 03-3222-5115（出版営業部）
www.bknet.jp

装　丁　AFTERGLOW

編　集　株式会社 パルプライド

印刷所　大日本印刷株式会社

ISBN978-4-8211-4670-3